D1450267

COLLECTION FOLIO

Joyeux Noël !

Histoires à lire
au pied du sapin

Gallimard

© *Éditions Gallimard, 2015, pour la présente édition.*

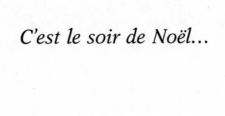

C'est le soir de Noël...

CLÉMENT MAROT

Du jour de Noël

Une Pastourelle gentile
Et un Berger en un Verger,
L'autre hyer en jouant à la Bille
S'entredisoient, pour abreger :
       Roger
       Berger !
       Legere
       Bergere !
C'est trop à la Bille joué.
Chantons Noé, Noé, Noé !
     Te souvient-il plus du Prophete,
Qui nous dit cas de si hault faict,
Que d'une Pucelle parfaicte
Naistroit un Enfant tout parfaict ?
       L'effect
       Est faict :
       La belle
       Pucelle
A un Filz du Ciel advoué.
Chantons Noé, Noé, Noé !

CHARLES DICKENS

Un arbre de Noël

J'ai contemplé, ce soir, une joyeuse assemblée d'enfants réunis autour de ce charmant jouet venu d'Allemagne qu'est un arbre de Noël. L'arbre était planté au milieu d'une grande table ronde et se dressait bien haut au-dessus de leurs têtes. Il était brillamment illuminé par une multitude de petites bougies et sur toutes ses faces il était couvert d'objets brillants qui étincelaient et jetaient mille feux. Il y avait des poupées aux joues roses, dissimulées derrière les feuilles vertes ; il y avait de vraies montres (ou du moins des montres pourvues d'aiguilles mobiles et susceptibles d'être remontées à l'infini) accrochées à d'innombrables rameaux ; il y avait des tables vernies au tampon, ainsi que des chaises, des lits, des armoires, des horloges, et divers autres meubles familiers (merveilleusement fabriqués en fer-blanc, à Wolverhampton) perchés au milieu des branches, comme pour préparer quelque féerique emménagement ; il y avait de petits hommes épanouis, à la figure ronde, d'apparence bien plus sympathique que beaucoup d'hommes en chair et en os... ce qui n'avait rien d'étonnant, car leur tête s'enlevait et l'on découvrait alors qu'ils étaient pleins de dragées ; il y avait des violons et des grosses caisses, il y avait des tambours de basque, des livres, des boîtes à ouvrage, des boîtes de peinture, des boîtes de bon-bons, des boîtes de vues stéréoscopiques et des boîtes de toute espèce ; il y avait des colifichets pour les grandes filles, beaucoup plus brillants que n'importe quel bijou d'or ou n'importe quelle pierre précieuse pour adultes ; il y avait des corbeilles et des pelotes à épingles de tous les modèles ; il y avait des canons, des épées, des étendards ; il y avait des sorcières plantées dans des enceintes magiques en carton, pour dire la bonne aventure ; il y avait des totons, des toupies ronflantes, des étuis à aiguilles, des essuie-plumes, des flacons de sels, des carnets de bal, des porte-bouquets, de vrais fruits, tirant un éclat emprunté du papier doré qui les enveloppait ; de fausses pommes, de fausses poires, de fausses noix, bour-rées de surprises ; bref, comme le déclarait avec ravissement devant moi, à voix basse, une jolie petite fille à son amie de cœur, autre jolie petite fille : « Il y avait de tout, et même davantage. » Cet assemblage disparate d'objets surprenants, réunis en grappes sur l'arbre comme des fruits magiques et reflétant l'éclat des regards lumineux qui se dirigeaient vers lui de toute part (certains des yeux de diamant qui l'admiraient étaient à peine au niveau de la table, et quelques-uns des spectateurs émerveillés se pâmaient timidement sur les genoux de jolies mamans, de jolies tantes ou de jolies nourrices), cet assemblage présentait une incarnation vivante des rêves de l'enfance ; et cela me rappela que tous les arbres qui poussent et tous les objets qui apparaissent sur terre sont, pour cet âge mémorable, parés d'ornements aussi fantastiques.

Je suis maintenant de retour chez moi, je suis seul, nul autre que moi dans la maison n'est éveillé, et mes pensées se reportent, sous l'effet d'une fascination à laquelle je n'ai garde de résister, vers ma propre enfance. Je commence à me demander quels sont les objets que nous nous rappelons le mieux parmi ceux que nous avons vus sur les branches des sapins de nos propres Noëls d'enfants, ces branches par lesquelles nous nous sommes élevés jusqu'à la vie réelle.

Bien droit, au milieu de la pièce, nullement entravé dans sa libre croissance par un entourage de murs ou par un plafond trop vite atteint, s'élève un arbre indistinct ; et, levant les yeux vers la lumière indécise de son sommet (car je remarque que cet arbre possède la singulière propriété de pousser de haut en bas vers le sol), je plonge mon regard dans les plus anciens de mes souvenirs de Noël !

Je m'aperçois que ce ne sont d'abord que jouets. Tout là-haut, parmi le houx vert et ses baies rouges, se trouve le culbuteur qui avait les mains dans les poches et qui ne voulait pas rester couché mais, chaque fois qu'on le mettait sur le plancher, persistait à balancer son corps bedonnant de côté et d'autre, jusqu'au moment où un dernier balancement l'immobilisait, où ses yeux de langouste se mettaient à me fixer... et où je feignais d'éclater de rire, alors qu'en mon for intérieur je me défiais grandement de lui. Tout près de lui, il y a cette tabatière infernale, d'où jaillissait un avocat démoniaque en robe noire, affligé d'une chevelure odieuse et d'une bouche en drap rouge grande ouverte, qui était rigoureusement intolérable, mais qu'il était cependant impossible de délaisser, car il lui arrivait, dans mes rêves, de s'évader brusquement, considérablement agrandi, de tabatières géantes, aux moments les plus inattendus. Et la grenouille qui avait de la cire grasse sur la queue n'est pas loin non plus ; car il n'y avait pas moyen de savoir où elle n'allait pas sauter ; et quand elle franchissait d'un bond la chandelle et se posait sur votre main, avec son dos moucheté (en rouge sur fond vert), elle était horrible. La dame de carton en jupe de soie bleue, qu'on mettait debout contre le chandelier pour la faire danser et que je revois sur la même branche était plus douce, et elle était belle, mais je ne puis en dire autant du bonhomme de carton, plus grand qu'elle, qu'on accrochait au mur et qu'on manœuvrait avec une ficelle ; il y avait quelque chose de sinistre dans l'expression de son nez, et quand il se passait les jambes autour du cou (ce qui lui arrivait souvent), il était horrible et il n'était pas possible de demeurer seul en compagnie d'une pareille créature.

Quand ce masque terrifiant m'a-t-il regardé pour la première fois ? Qui l'avait mis et pourquoi en fus-je si effrayé que cette vision fait époque dans mon existence ? Ce n'est pas un visage hideux par lui-même, il est même destiné à paraître cocasse ; alors pourquoi ses traits figés me furent-ils tellement intolérables ? Sûrement

pas parce qu'ils me cachaient la figure de celui
qui le portait. Un tablier aurait pu me la dissi-
muler aussi bien et, quoique j'eusse préféré ne
pas la voir couverte, même d'un tablier, sa vue
ne m'aurait pas été absolument insupportable,
comme celle du masque. Était-ce la fixité des
traits du masque ? La figure de la poupée était
figée aussi, et elle ne me faisait pas peur. Peut-
être ce changement qui raidissait et immobilisait
soudain un visage réel fit-il pénétrer dans mon
cœur palpitant l'image et la crainte lointaines du
changement universel qui doit marquer un jour
tous les visages et les réduire à l'immobilité. Rien
ne pouvait me rendre ce masque acceptable. Ni
les joueurs de tambour, qui émettaient une sorte
de pépiement mélancolique quand on tournait
une manivelle, ni les régiments de soldats, aux
fanfares muettes, qu'on sortait de leur boîte et
qu'on installait, un à un, sur une petite pince à
zigzags raide et capricieuse, ni la vieille femme,
faite de fil de fer et d'un produit à base de papier
d'emballage, qui découpait un pâté pour deux
petits enfants ; ni les uns ni les autres ne purent
de longtemps me procurer un réconfort durable.
Et je ne pouvais pas non plus me satisfaire, si l'on
me montrait le masque, de constater qu'il était en
papier, ou de le faire mettre sous clé, avec l'assu-
rance que personne ne le portait. Le simple souvenir de ce visage figé, la seule conscience de son
existence en un endroit quelconque, suffisaient à
m'éveiller la nuit, inondé de sueur et transi d'horreur et m'écriant : « Oh ! le voilà qui arrive, je le
sais ! Oh ! le masque ! »

Je ne me demandais jamais, à cette époque, en quoi était fait le cher vieil âne que voilà sur l'arbre avec ses paniers. Je me rappelle qu'au toucher sa peau me semblait réelle. Et ce grand cheval noir qui avait sur tout le corps des taches rouges, bien rondes – le cheval sur lequel je pouvais même monter –, je ne me demandais jamais ce qui l'avait réduit à cette étrange condition et je ne pensais jamais qu'on pût ne pas rencontrer couramment des chevaux de son espèce à Newmarket. Les quatre chevaux sans couleur, là, près de lui, qu'on attelait à la voiture chargée de fromages et qu'on pouvait dételer et remiser sous le piano, semblent avoir pour queues des fragments d'une pèlerine de fourrure et pour crinières d'autres fragments de la même pèlerine, et ils semblent qu'ils marchent sur des chevilles en guise de pattes, mais il n'en était pas ainsi quand on les avait ramenés à la maison comme cadeau de Noël. Ils étaient parfaits alors ; et leur harnais ne leur était pas cloué sans cérémonie dans la poitrine, ce qui se révèle être le cas maintenant. J'avais bien découvert que les rouages qui tintaient dans la charrette à musique étaient faits de cure-dents en plume d'oie et de fil de fer, et j'ai toujours pensé que ce petit culbuteur en manches de chemise, qui passait son temps à se hisser d'un côté d'un échafaudage de bois pour dégringoler ensuite, la tête la première, de l'autre côté, était plutôt faible d'esprit, encore que brave homme ; mais l'échelle de Jacob, placée près de lui et faite de petits carreaux de bois rouge, qui se rabattaient l'un sur l'autre avec un claquement sec, chacun d'eux exhibant une image différente, le tout agrémenté de petites clochettes, était une bien grande merveille et un plaisir immense.

Ah ! la maison de poupée ! Je n'en étais point propriétaire, mais simple visiteur. Je n'ai pas moitié autant d'admiration pour le palais du Parlement que pour cette demeure à façade de pierre, avec de vraies fenêtres en verre, de vrais pas de portes et un vrai balcon, plus vert que tous ceux que j'ai l'occasion de voir maintenant, excepté dans les villes d'eaux ; et même là, je n'en trouve qu'une bien pauvre contrefaçon. Et quoique la façade entière s'ouvrît, il faut l'avouer, d'un seul bloc, ce qui était un rude coup, je le reconnais, car cela anéantissait la possibilité d'imaginer un escalier, il suffisait de la refermer et je pouvais retrouver la foi. Même ouverte, elle contenait trois pièces distinctes : un salon et une chambre à coucher élégamment meublés et, mieux encore, une cuisine avec une garniture de foyer d'un métal extraordinairement mou, un assortiment abondant d'ustensiles en miniature – ah ! cette bassinoire ! – et un cuisinier en fer-blanc, de profil, qui était toujours sur le point de faire frire deux poissons. De quel appétit ai-je fait honneur aux splendides festins de Barmécide dans lesquels paraissait une série de plats en bois, dont chacun contenait quelque mets délicat tel qu'un jambon ou une dinde solidement fixés dessus à la colle forte et garnis d'une substance verte que je me rappelle comme une espèce de mousse. Toutes les ligues antialcooliques d'aujourd'hui, réunies, pourraient-elles m'offrir un thé comparable à celui que je prenais grâce à ce petit service en faïence

bleue, où l'on pouvait vraiment mettre un liquide
(je me rappelle que l'eau coulait de ce petit ton-
neau de bois et qu'elle avait un goût d'allumettes)
et qui faisait du thé un nectar ? Et si les deux
branches de la petite pince à sucre inefficace s'en-
trecroisaient et manquaient de précision, comme
les bras de Guignol, qu'importe ? Et si j'ai un
jour poussé des hurlements comme si je m'étais
empoisonné, et si j'ai ainsi frappé de consterna-
tion une compagnie distinguée, parce que j'avais
bu une petite cuillère à thé, dissoute par inad-
vertance dans du thé trop chaud, je ne m'en suis
nullement porté plus mal, si ce n'est sous l'effet
de la poudre qu'on me fit prendre ensuite.

Sur les branches suivantes de l'arbre, en descen-
dant, tout près du rouleau vert et des autres outils
de jardinage en miniature, les livres commencent
à paraître en rangs serrés. Des livres minces par
eux-mêmes tout d'abord, mais en grand nombre
et avec des couvertures délicieusement lisses d'un
rouge ou d'un vert éclatants. Comme les lettres
sont noires et grasses au début ! « A était archer
et tirait sur les grenouilles. » Et comment donc !
Il était aussi Abricot, et le voilà sous cette forme !
Il avait été aussi beaucoup d'autres choses en son
temps, ce brave A, de même que la plupart de
ses camarades, excepté X, si peu versatile que je
ne l'ai jamais vu dépasser le stade de Xerxès ou
Xantippe – c'est comme Y, qui se limitait toujours
à être un Yacht ou un Yatagan ; et Z condamné
à tout jamais à demeurer Zèbre ou Zébu. Mais
maintenant c'est l'arbre lui-même qui change, et
se transforme en tige de haricot – la merveilleuse

tige de haricot par laquelle Jack grimpa jusqu'à la maison du géant ! Et maintenant ces géants à deux têtes, épouvantables et attirants, avec leurs massues sur l'épaule, commencent à défiler en véritables foules, et ramènent chez eux pour en faire leur dîner des chevaliers et de nobles dames en les traînant par les cheveux. Et Jack, comme il a fière allure, avec son épée si tranchante et ses souliers si rapides ! Ces réflexions de jadis m'envahissent à nouveau tandis que je lève mes regards vers lui ; et je me livre à un débat intérieur pour savoir s'il y avait plus d'un seul Jack (ce que je répugne à croire possible), ou seulement un Jack unique, authentique, original et admirable, qui a accompli tous les exploits de sa chronique.

Comme elle convient au temps de Noël, la couleur vermeille du manteau dans lequel (le sapin se muant en forêt pour qu'elle y chemine d'un pas léger avec son panier), le Petit Chaperon rouge vient vers moi, un soir, la veille de Noël, pour m'informer de la cruauté et de la traîtrise de ce loup hypocrite qui a mangé sa grand-mère sans que son appétit s'en ressentît et ensuite a mangé l'enfant elle-même, après avoir lancé cette boutade féroce sur les dents qu'il montrait. Ce fut mon premier amour. Il me semblait que si j'avais pu épouser le Petit Chaperon rouge, j'aurais connu une félicité absolue. Mais il ne devait pas en être ainsi ; et il n'y avait rien d'autre à faire que de retrouver le loup dans cette Arche de Noé qui est là et de le placer vers la fin du cortège sur la table, comme un monstre qui méritait d'être rétrogradé. Ah ! quelle merveille que cette Arche de Noé ! Elle s'était révélée inapte à la navigation quand on l'avait mise dans un baquet à lessive et il fallait y faire entrer de force les animaux par le toit et les secouer énergiquement pour réussir à faire passer les pattes, même par cet orifice ; et alors on avait dix chances contre une de les voir commencer à ressortir pêle-mêle par la porte qui n'était qu'imparfaitement maintenue par un loquet en fil de fer – mais que pesaient ces inconvénients contre ses mérites ? Voyez cette mouche majestueuse, à peine plus petite que l'éléphant, voyez la libellule, le papillon... tous ces triomphes de l'art ! Regardez l'oie, qui avait de si petites pattes et un sens si médiocre de l'équilibre qu'elle piquait généralement du nez, entraînant dans sa chute tout le règne animal. Voyez Noé et les siens, semblables à des bourre-pipes atteints d'idiotie, voyez comme le léopard pouvait être collant pour de petits doigts tout chauds ; et comme la queue des grands animaux pouvait se réduire progressivement à n'être plus qu'un bout de ficelle usée !

Chut ! Nous sommes de nouveau dans une forêt et il y a quelqu'un en haut d'un arbre... ce n'est pas Robin Hood, ce n'est pas Valentin, ce n'est pas le Nain jaune (je le passe sous silence, ainsi que toutes les merveilles de la Mère Bunch), mais un roi oriental, avec son cimeterre étincelant et son turban. Par Allah ! il y a deux rois orientaux, car j'en aperçois un autre qui regarde par-dessus son épaule ! En bas, sur l'herbe, au pied de l'arbre, est étendu de tout son long un géant noir comme de l'encre, qui dort, la tête sur les genoux d'une dame ; et près d'eux se trouve un coffre de verre, fermé par quatre serrures d'acier luisant, où il garde la dame prisonnière quand il est éveillé. Je vois les quatre clés à sa ceinture en ce moment. La dame fait un signe aux deux rois qui sont dans l'arbre, et ils commencent à descendre sans bruit. C'est le point de départ des éblouissantes *Mille et Une Nuits*.

Ah ! tous les objets ordinaires deviennent maintenant pour moi extraordinaires et enchantés. Toutes les lampes sont merveilleuses ; toutes les bagues sont des talismans. Les pots de fleurs ordinaires sont emplis de trésors, avec un peu de terre étalée sur le dessus, les arbres sont là pour servir de cachette à Ali Baba ; les biftecks pour être jetés dans la vallée des Diamants, afin que les pierres précieuses y adhèrent et soient transportées par les aigles dans leur nid, d'où les marchands feront fuir les oiseaux à grands cris. On fait les tartes selon la recette du fils du Vizir de Bassorah, qui devient pâtissier après avoir été déposé en caleçon à la porte de Damas ; tous les savetiers sont des Mustaphas et passent leur temps à recoudre des gens coupés en quatre, chez qui on les amène les yeux bandés.

N'importe quel anneau de fer scellé dans une pierre devient l'entrée d'une caverne qui n'attend que le magicien, le petit brasier et la nécromancie, pour faire trembler la terre. Toutes les dattes qu'on importe proviennent du même arbre que la malheureuse datte avec le noyau de laquelle le marchand éborgna le fils invisible du génie. Toutes les olives sont de même souche que ces fruits frais au sujet desquels le Commandeur des

Croyants entendit, à son insu, le jeune garçon diriger le procès imaginaire du marchand d'olives frauduleux ; toutes les pommes sont parentes de la pomme achetée (avec deux autres) au jardinier du Sultan pour trois sequins et que le grand esclave noir vola à l'enfant. Tous les chiens sont associés dans mon esprit à ce chien qui était en réalité un homme métamorphosé et qui sauta sur le comptoir du boulanger et posa la patte sur la pièce fausse. Tous les riz rappellent le riz que la dame horrible, qui était une goule, ne pouvait manger que du bout des lèvres et grain par grain, en raison de ses orgies nocturnes dans le cimetière. Et mon cheval à bascule lui-même – le voilà justement, avec ses naseaux complètement retroussés, preuve qu'il est un pur-sang ! – devrait avoir une cheville dans le cou, grâce à laquelle il pourrait s'envoler avec moi, comme le fit le cheval de bois avec le prince de Perse, au vu de toute la cour de son père.

Oui, sur tous les objets que je reconnais parmi les hautes branches de mon arbre de Noël, je vois briller cette lumière féerique ! Quand je m'éveille dans mon lit, au point du jour, par les froids et sombres matins d'hiver, apercevant vaguement la blancheur de la neige à l'extérieur, à travers le givre qui recouvre la vitre, j'entends Dinarzade : « Ma sœur, ma sœur, si vous ne dormez point encore, achevez, je vous prie, l'histoire du jeune roi des Îles noires. » Schéhérazade répond : « Si Monseigneur le Sultan tolère que je vive un jour de plus, ma sœur, non seulement j'achèverai cette histoire, mais je vous raconterai une histoire plus merveilleuse encore. » Alors l'aimable Sultan sort, sans donner d'ordres en vue de l'exécution et, tous trois, nous respirons de nouveau.

À ce niveau de mon arbre je commence à voir, peureusement tapi parmi les feuilles, un cauchemar prodigieux, auquel ont pu donner naissance une dinde, ou un pudding, ou un mince-pie, ou ces nombreuses rêveries où viennent se mêler Robinson Crusoé sur son île déserte, Philip Quarll parmi les singes, Sandford et Merton avec M. Barlow, la Mère Bunch, et le Masque, ou qui peut encore résulter d'une indigestion renforcée par l'imagination et l'abus des médicaments. Ce cauchemar est si extraordinairement indistinct que je ne sais pourquoi il est épouvantable, mais je sais qu'il l'est. Je peux seulement discerner qu'il consiste en un immense déploiement d'êtres et d'objets informes, qui semblent plantés sur une pince à zigzags beaucoup plus grande que celle qui portait les soldats de plomb et s'avancer lentement jusqu'au voisinage immédiat de mes yeux pour se retirer ensuite à une distance infinie. C'est quand le cauchemar est le plus proche qu'il est le plus pénible. En rapport avec lui, j'aperçois des souvenirs de nuits d'hiver incroyablement longues, de soirs où on m'envoyait coucher de bonne heure, pour me punir de quelque peccadille, et où je m'éveillais au bout de deux heures, avec la sensation d'avoir dormi pendant deux nuits, de moments où je désespérais, dans mon accablement, de voir jamais poindre le jour, et où j'étais oppressé par le poids du remords.

Et maintenant je vois sortir doucement du sol,

devant un grand rideau vert, une rangée de merveilleuses petites lumières. Puis une cloche sonne, une cloche magique qui rend encore à mon oreille un son différent de toutes les autres cloches – et la musique commence à jouer au milieu d'un bourdonnement de voix et d'un parfum odorant de pelure d'orange et d'huile. Bientôt la cloche magique fait taire la musique, le grand rideau vert se soulève et s'enroule majestueusement, la pièce commence ! Le fidèle chien de Montargis venge la mort de son maître, ignominieusement assassiné dans la forêt de Bondy, et un paysan comique qui a le nez rouge et un chapeau minuscule, auquel je réserve depuis cet instant une place de choix dans mon cœur, au nombre de mes amis (je crois qu'il était garçon ou palefrenier dans une auberge de village, mais bien des années ont passé depuis notre rencontre), déclare que la « sassigassité » de ce chien est vraiment surprenante ; et à tout jamais ce trait d'esprit vivra dans ma mémoire avec une impérissable fraîcheur, surpassant toutes les plaisanteries possibles, jusqu'à la fin des temps. Ou encore je pleure à chaudes larmes en apprenant que Jane Shore, toute de blanc vêtue, et avec ses cheveux bruns défaits, s'en allait mourant de faim par les rues ; ou que George Barnwell a tué le plus estimable des oncles jamais donnés à un homme, mais éprouva ensuite de tels regrets qu'on aurait dû l'acquitter. Mais voici qu'arrive rapidement pour me réconforter la Pantomime... – phénomène stupéfiant ! – au cours de laquelle on voit des mortiers chargés lancer dans le lustre – cette lumineuse constellation – des clowns pour

projectiles ; on voit des Arlequins, couverts des
pieds à la tête d'écailles d'or pur, se tortiller et
étinceler comme d'étonnants poissons ; on voit
Pantalon (qu'il ne me paraît pas irrévérencieux de
comparer en mon for intérieur à mon grand-père)
mettre dans sa poche des tisonniers chauffés au
rouge, en s'écriant : « Voilà quelqu'un qui arrive ! »
ou accuser le clown de menus larcins en disant :
« Mais puisque je vous avions vu le faire » ; la Pantomime au cours de laquelle tout peut se trans-
former le plus facilement du monde en n'importe
quoi d'autre, et où « rien n'a d'existence hormis
celle que lui confère la pensée ». C'est maintenant
aussi que je me vois éprouver pour la première
fois la sensation lugubre – qui devrait se répéter
souvent dans la suite de ma vie – d'être incapable,
le lendemain, de retourner au monde réel, terne et
figé ; de désirer vivre à jamais dans l'atmosphère
brillante que j'ai quittée ; d'être amoureux fou de
la petite Fée, dont la baguette ressemble à une
céleste enseigne de barbier, et de souhaiter ardem-
ment une féerique immortalité en sa compagnie...
Ah ! elle reparaît, sous de nombreuses formes, tandis que mon regard descend à l'aventure parmi les
branches de mon arbre de Noël, puis elle dispa-
raît chaque fois et n'est jamais encore demeurée
auprès de moi !

Du milieu de ces joies surgit le théâtre de
marionnettes ; le voici, avec son avant-scène fami-
lière et les dames parées de plumes dans les loges !
et toutes les occupations qui s'y rattachent, l'em-
ploi de la colle forte, de la colle de pâte et de la
gomme et de l'aquarelle, pour monter *Le Meunier*

et ses gens et *Élisabeth ou l'Exilé de Sibérie* ! En dépit de quelques accidents et échecs habituels (et en particulier d'une tendance déraisonnable chez le respectable Kelmar et chez quelques autres à avoir les jambes molles et à se plier en deux à des moments passionnants du drame), c'est un monde bouillonnant d'images si suggestives, si universelles que, beaucoup plus bas sur mon arbre de Noël, je vois de vrais théâtres, sombres et sales pendant la journée, se parer de ces souvenirs comme des guirlandes les plus fraîches faites des fleurs les plus rares et me charmer encore.

Mais écoutons ! Voici les chanteurs de noëls qui jouent un air et interrompent mon sommeil enfantin ! Quelles images évoque leur musique quand je vois leur cortège sur l'arbre de Noël ? Connues avant toutes les autres, restées bien distinctes de toutes les autres, elles s'assemblent autour de mon petit lit. Un ange, qui parle à un groupe de bergers dans un champ ; des voyageurs qui marchent, les yeux levés pour suivre une étoile ; un nouveau-né dans une crèche ; un enfant dans un vaste temple, en conversation avec des hommes graves ; une silhouette majestueuse, au visage doux et beau, relevant par la main une jeune fille morte ; puis de nouveau, près de la porte d'une ville, rappelant à la vie le fils d'une veuve, étendu sur une civière ; une foule de gens qui regardent par le toit béant d'une salle où il se trouve et vont y descendre à l'aide de cordes, un malade sur son lit ; lui, encore une fois, dans la tempête, marchant sur l'eau vers un bateau ; plus loin, sur une plage, enseignant une grande multitude ; puis, avec un enfant sur ses genoux et d'autres enfants autour de lui, rendant la vue aux aveugles, la parole aux muets, l'ouïe aux sourds, la santé aux malades, la force aux infirmes, le savoir aux ignorants ; puis mourant sur une croix, gardé par des soldats en armes, tandis que d'épaisses ténèbres s'amassent, que la terre commence à trembler, et qu'on entend seulement une voix dire : « Pardonnez-leur, car ils ne savent ce qu'ils font. »

Sur les branches les plus basses, les plus mûres de l'arbre, les souvenirs de Noël s'agglutinent encore. Les livres de classe se ferment, Ovide et Virgile sont réduits au silence, la règle de trois et ses questions d'une froide impertinence sont depuis longtemps expédiées ; on ne joue plus Térence et Plaute, dans une arène de pupitres et de bancs entassés pêle-mêle et tout tailladés, écornés et tachés d'encre ; on a laissé plus haut dans l'arbre les balles, les bâtons de guichet et les battes de cricket, avec l'odeur de l'herbe piétinée et les cris assourdis dans l'air du soir ; l'arbre est toujours frais, toujours gai. Si je ne rentre plus chez moi pour Noël, il y aura (Dieu merci !) des petits garçons et filles, aussi longtemps que durera le monde ; et ils rentreront à la maison, eux ! Les voilà là-bas qui dansent et jouent sur les branches de mon arbre, les braves petits, avec entrain, et voici que mon cœur se met à danser et à jouer aussi !

Et au fond je rentre quand même chez moi pour Noël. Comme tout le monde, ou du moins comme tout le monde devrait le faire. Nous rentrons tous chez nous ou nous devrions tous rentrer chez nous, pour prendre de courtes vacances (plus elles sont longues, mieux cela vaut) au lieu de rester dans le grand pensionnat où nous sommes sans cesse penchés sur nos ardoises d'arithmé- tique, pour goûter et offrir un moment de repos. Quant aux visites à rendre, où ne pouvons-nous aller si nous le voulons ? Où ne sommes-nous allés quand nous l'avons voulu, en prenant pour point de départ notre rêverie, notre arbre de Noël ?

SYLVAIN TESSON

Les fées

Un enchantement, une fée vêtue
D'un mouvement – doux comme le sommeil ;
Ellipse de toutes les joies
Somme de toutes les larmes.

DYLAN THOMAS
Poèmes de jeunesse

Ce Noël-là, le froid s'était abattu. La Bretagne était un oursin mauve et blanc, hérissé de glace. La houle torturait l'océan. Le vent sifflait, coupé par l'aiguille des pins. Les rafales froissaient la lande, battaient au carreau. Le ciel ? En haillons. Des cavaleries de nuages chargeaient devant la lune. L'eau de l'abreuvoir avait gelé. C'était rare, chez nous.

La ferme était bâtie au bord d'un talus surplombant la plage de Lostmac'h. Sur le côté du chemin, un menhir montait la garde depuis six mille ans. Le jour, la mer emplissait les fenêtres percées vers l'ouest. La nuit, il faisait bon écouter le ressac à l'abri des murs de granit. La satisfaction de contempler la tempête par la fenêtre, assis auprès d'un poêle, est le sentiment qui caractérise le mieux l'homme sédentaire, qui a renoncé à ses rêves. Au-dessus de la porte, l'aphorisme de Pétrarque gravé dans le linteau renseignait le visiteur sur notre idée du bonheur : *Si quis tota die currens, pervenit ad vesperam, satis est.*

Nous étions dix convives à la table du réveillon : Pauline, moi et les nôtres. Les uns, comme Alan et Morgane, étaient venus de Brest, les autres vivaient sur la presqu'île. Nous avions éteint les lumières et flottions, un peu ivres, dans la lueur des bougies. À travers les bouteilles vides, les flammes projetaient leurs grimaces sur les murs nus. Parfois, un reflet dessinait une silhouette, fugace, tremblante.

— L'ombre des fées... dis-je.

— Moi, j'y crois ! dit Pauline.

— Ne commencez pas ! dit Pierre.

Pierre était notre voisin. Sa maison occupait une position analogue à la nôtre, au sommet de la terrasse littorale, de l'autre côté de la plage de Lostmac'h. Un bouquet de pins nous en masquait la vue mais, du large, on distinguait nos bâtisses respectives qui se dressaient en miroir, séparées d'un kilomètre, flanquant les deux extrémités du croissant de sable : deux tours jumelles veillant l'océan. Pierre s'était installé là, à son retour d'Afrique. Trente années à superviser des mines d'uranium dans le Sahara nigérien lui avaient donné des envies d'embruns. Il coulait des heures calmes, s'occupait de sa maison, sortait ses chiens dans la lande et venait de temps en temps nous rendre visite à la ferme.

Notre ami était l'ennemi de toute fantaisie. Les

contes et légendes qui fleurissaient en Bretagne depuis quarante ans l'« emmerdaient à mort ». Il conspuait le folklore, haïssait les « biniouseries ». Il tenait pour des sommets de mauvais goût l'imagerie préraphaélite. L'engouement des peintres postromantiques pour les créatures éthérées l'écœurait. Les représentations contemporaines des créatures mythologiques le consternaient. Pour lui, mettre des ailes aux femmes signifiait que la femme ne suffit pas. Il tenait la croyance en un peuple d'elfes, d'éfrits et d'ondines pour un détraquage de l'esprit. Le goût du fantastique pour un infantilisme. Il invoquait l'influence du climat sur les psychismes. Trop d'humidité aurait déréglé les sensibilités et donné au Breton un penchant pour l'invisible. Lorsque nous lui répondions qu'il ne s'agissait que de déceler dans l'expression des choses vivantes la manifestation du divin, il s'emportait :

— Je me fous de vos fées !

Mais, ce soir-là, personne ne ménagea Pierre. C'était Noël, on voulait défendre le Merveilleux, la « matière de Bretagne », la légende arthurienne, la source fraîche des mythes médiévaux à laquelle s'étaient abreuvés les conteurs. Chacun voulut y aller de son histoire. Nous espérions que Pierre ravalerait ses sarcasmes. Dehors, le vent redoublait. La fumée des cigares faisait un ciel au plafond. Les flammes des bougies battaient à pulsations régulières. L'armagnac avait des teintes de miel.

— La nuit de Noël de l'année dernière, dit Alan, un chalutier errait dans la tempête près des récifs de la Roche Noire, au large de Kerscoff. Il y a eu un article dans *Le Télégramme*. C'était une nuit sans lune et les appareils de bord ne marchaient plus. Pourtant, le bateau est rentré au port en moins d'une demi-heure. Le capitaine m'a raconté avoir été guidé par des signaux qui brillaient sur les affleurements. Les lumières s'allumaient à l'approche du navire et s'éteignaient sitôt qu'il était passé. L'équipage a eu le sentiment d'être *accompagné*. Les hommes ont précisé qu'il ne s'agissait pas d'éclats de signalisation mais d'une luminescence étrange, vivante, en suspens dans l'air.

— Le halo des fées les a guidés ! dit Pauline.

— Foutaises ! dit Pierre. Est-ce qu'elles ne pouvaient pas envoyer un remorqueur ?

— Tais-toi, dit Morgane. Il y a eu à Plouharnel, au début du siècle, un phénomène similaire d'irradiation. Le violoniste du village était un drôle de type, mi-fou, mi-ermite. Il refusait les invitations et, le soir du réveillon, disparaissait dans la lande. « Je vais jouer pour les fées ! » disait-il. Il passait la nuit sur les chemins à semer des gigues. Le lendemain, il revenait, épuisé, trempé, et s'asseyait au café. Il expliquait que personne ne pense jamais à la solitude des fées le soir de Noël. Il disait que la nouvelle religion avait éclipsé leur règne : pendant que les hommes se réjouissent sous les feux du réveillon, elles ruminent leur peine dans la bruyère. Lui se chargeait de leur offrir gaieté et compagnie jusqu'à l'aube. Quand il est mort, il a été oublié dans un coin du cimetière. Mais, chaque 24 décembre, sa tombe était baignée d'une étrange lueur, enveloppante, douce, insaisissable, dont l'œil était incapable de discerner la source.

— Des feux follets, dit Pierre, des vers luisants !
Des lampes frontales ! Le reflet de la lune !

— Et l'histoire du couvent de Kerdonec ? dit
Alan.

— Pitié, dit Pierre, changeons de sujet.

— Raconte, dit Pauline.

— On en a beaucoup parlé à l'époque, dit Alan.
C'était un couvent de bénédictines. Dans l'église,
accroché au mur de la travée nord, il y avait un
tableau, une toile de maître du XVIIᵉ siècle qui
représentait la nef, vide, avec les chaises de bois
alignées pour l'office. La peinture n'avait pas
grand intérêt. Elle était austère, sévère, suintait
l'ennui. Dans le restaurant qui jouxtait le couvent,
le propriétaire avait accroché une toile intitulée
« Les Fées ». C'était un de ces tableaux dont les
Britanniques étaient friands à la fin du XIXᵉ. On y
voyait des créatures ailées, diaphanes, couronnées
de fleurs, vêtues de robes blanches et baignant
dans un clair automne. Les unes se miraient dans
l'eau d'un étang, les autres dansaient des rondes
dans un bois de bouleaux.

— Beurk ! dit Pierre.

— Un soir de Noël, la messe battait son plein.
Soudain, au milieu de l'homélie, le curé se trouva
mal. Il s'appuya sur le pupitre et montra du doigt le
mur de la travée en balbutiant. Les fées du tableau
de l'auberge s'étaient incorporées au tableau de
l'église. Elles se tenaient *dans* la toile, assises sur
les chaises peintes. Les ailes repliées dans le dos,
elles assistaient à l'office. Le tableau était *vivant*…
La panique fut indescriptible, l'église fut évacuée,
on sonna les pompiers, les tableaux furent détruits !

— Merci : un service rendu au bon goût ! dit Pierre.

Il en avait assez entendu pour la soirée. Il était tard, on se quitta en se souhaitant joyeux Noël. J'insistai pour le raccompagner en voiture, mais Pierre voulait marcher un peu et rentrer chez lui par la plage. Il ajouta qu'il avait besoin du froid, du vent, du sel pour dissoudre le fatras d'inepties qu'on lui avait fait avaler.

Le lendemain matin, à 8 heures, Pierre nous téléphona. Il avait une voix paniquée et nous pria d'accourir. La route qui menait chez lui contournait les dunes de Lostmac'h. Il était aussi rapide d'aller à pied par la plage, mais le vent n'était pas tombé. Un quart d'heure après son coup de fil, nous étions près de lui. Il se tenait debout devant la baie vitrée et regardait l'océan, pâle, l'œil défait.

— Je regrette pour hier. Venez voir !

Sans aucune explication, il enfila sa veste et sortit. Nous le suivîmes sur le sentier abrupt qui du fond de son terrain, par une lande de fougères, donnait accès à la plage.

Le vent s'acharnait sur le pays. Le ciel roulait des présages. L'océan était une babine de chien, bavante. Nous luttions pour avancer. Pierre criait.

— Cette nuit en rentrant, j'ai été saisi par le froid sur la plage. L'alcool, peut-être ? La chaleur chez vous ou le vent de la nuit ? Je ne sais pas. J'ai eu un malaise et me suis évanoui. Je me suis réveillé dans mon lit ce matin, sans aucun souvenir et je suis descendu sur la plage pour essayer de retrouver l'endroit où j'étais tombé.

— Et alors ?

— Et alors voilà.

Nous étions sur la grève à mi-chemin entre nos deux bâtisses et à quelques dizaines de mètres de l'estran. On voyait distinctement l'endroit où Pierre était tombé. Le corps avait creusé le sable. De là partaient deux traces parallèles, rectilignes, qui filaient vers la maison de notre ami. C'étaient les pieds de Pierre qui avaient traîné dans le sable et creusé leur double griffe pendant qu'on le soutenait.

Il n'y avait nulle autre empreinte. Aucune trace de ceux qui l'avaient porté. Et Pierre, éperdu, regardait ce sillon pendant que la houle s'écroulait sans répit.

C'est Noël, tout de même !

JULES LAFORGUE

Noël sceptique

Noël ! Noël ! J'entends les cloches dans la nuit...
Et j'ai, sur ces feuillets sans foi, posé ma plume :
Ô souvenirs, chantez ! Tout mon orgueil s'enfuit,
Et je me sens repris de ma grande amertume.

Ah ! ces voix dans la nuit chantant Noël ! Noël !
M'apportent de la nef qui, là-bas, s'illumine,
Un si tendre, un si doux reproche maternel
Que mon cœur trop gonflé crève dans ma poitrine...

Et j'écoute longtemps les cloches dans la nuit...
Je suis le paria de la famille humaine,
À qui le vent apporte en son sale réduit
La poignante rumeur d'une fête lointaine.

FRANCIS SCOTT FITZGERALD

Pat Hobby croit au Père Noël

I

C'était la veille de Noël au studio. Il n'était pas encore 11 heures du matin et le Père Noël avait déjà presque fait le tour de tous ceux qui travaillaient dans la maison – Dieu sait qu'ils étaient nombreux –, récompensant chacun selon ses mérites.

On avait vu arriver dans les bureaux et dans les annexes du studio les présents somptueux que les producteurs offraient aux stars et les agents aux producteurs. Sur tous les plateaux on ne parlait que des petits cadeaux facétieux que s'échangeaient acteurs et metteurs en scène. Des caisses de champagne sortaient du bureau de la publicité pour aller chez les gens de la presse. Et les étrennes, en billets de cinquante, dix ou cinq dollars que les producteurs, metteurs en scène et scénaristes donnaient aux cols blancs, tombaient comme une manne venue du Ciel.

Ce genre de transaction comportait cependant des exceptions : Pat Hobby, par exemple, qui, fort de ses vingt ans d'expérience, connaissait bien la musique, avait eu la bonne idée, la veille, de congédier sa secrétaire. On allait lui en envoyer une nouvelle d'un moment à l'autre, mais celle-ci ne pourrait guère espérer recevoir un cadeau dès le premier jour.

En attendant qu'elle arrive, Pat allait et venait dans le couloir et jetait un coup d'œil, en quête d'un signe de vie, à l'intérieur des bureaux laissés ouverts. Il s'arrêta pour bavarder avec Joe Hopper qui était attaché au département des scénarios.

« C'était pas comme ça dans le temps, dit-il, poussant sa plainte. À l'époque, il y avait une bouteille sur chaque bureau.

— Il y en a quelques-unes, ici ou là.

— Pas tant que ça, soupira Pat. Et ensuite on se bricolait un petit film… avec les chutes de pellicule récupérées dans la salle de montage.

— On m'a parlé de ça. Avec tous les bouts censurés, c'est ça ? » dit Hopper.

Pat, les yeux brillants, fit oui de la tête.

« Ah, c'était pas triste, je peux te dire ! Qu'est-ce qu'on se bidonnait ! À s'en faire péter la rate ! »

Il s'interrompit, brusquement ramené à la triste réalité, lorsqu'il aperçut une femme qui, un bloc-notes à la main, entrait dans son bureau au fond du couloir.

« Gooddorf me fait bosser pendant les fêtes, se plaignit-il, amer.

— Moi, je refuserais carrément.

— Je voudrais bien, mais mon contrat de quatre semaines se termine vendredi et si je rue dans les brancards, il ne le prolongera pas. »

Hopper pensa, en regardant Pat s'éloigner, que ce serait le cas, quoi qu'il arrive. On l'avait engagé pour écrire le script d'un western à l'ancienne et les gars qui passaient derrière lui – autrement dit, qui remaniaient son texte – disaient que c'était tocard du début à la fin et qu'il y avait des passages sans queue ni tête.

« Je suis Miss Kagle », dit la nouvelle secrétaire de Pat.

Elle avait environ trente-cinq ans. Elle n'était pas mal du tout mais fanée, fatiguée quoique pleine de zèle. Elle alla se poster devant la machine à écrire, l'examina, s'assit et éclata en sanglots.

Pat sursauta. Garder son sang-froid – tout du moins pour la caste inférieure – était la règle d'or de la maison. Comme si ce n'était pas déjà assez moche d'être au boulot la veille de Noël ! Enfin – moins moche que de ne pas avoir de boulot du tout. Il s'avança pour refermer la porte. Qu'on n'aille pas le soupçonner d'avoir insulté la fille !

« Courage, voyons ! conseilla-t-il. C'est Noël, tout de même ! »

Le gros de la crise était passé. À présent, elle se tenait assise, bien droite. Elle avait du mal à reprendre son souffle et s'essuyait les yeux.

« Rien n'est jamais aussi dramatique qu'il n'y paraît, assura-t-il, sans la convaincre. De quoi s'agit-il au juste ? Ils vont vous virer, c'est ça ? »

Elle fit non de la tête, renifla une bonne fois, puis ouvrit son bloc-notes.

« Vous travailliez pour qui, jusqu'à maintenant ? »

Elle se raidit soudain, serrant les mâchoires :

« Mr. Harry Gooddorf », siffla-t-elle entre ses dents.

Les yeux de Pat, qui étaient toujours injectés de sang, s'écarquillèrent. Il se rappelait à présent avoir déjà vu la fille dans le bureau attenant à celui de Harry.

« Depuis 1921. Ça fait dix-huit ans. Et hier il m'a renvoyée au secrétariat général du département. Je le déprime, qu'il m'a dit. Apparemment, ça ne le rajeunit pas de me voir toujours là. » Son visage était sombre. « Je peux vous assurer qu'il y a dix-huit ans, en dehors des heures de service, il ne tenait pas ce genre de propos.

— Ouais, c'était un sacré coureur de jupons à l'époque, dit Pat.

— J'aurais dû tenter quelque chose à ce moment-là, quand la chance s'offrait à moi. »

Pat sentit l'indignation monter en lui.

« Rompre une promesse ? C'est pas des manières !

— Mais j'avais de quoi le coincer. Quelque chose de plus grave qu'une rupture de promesse. J'ai toujours de quoi, d'ailleurs. Mais en ce temps-là, voyez-vous, je me croyais amoureuse. »

Elle resta songeuse un instant.

« Vous avez quelque chose à me dicter tout de suite ? »

Pat se rappela qu'il avait un travail à faire et ouvrit un script.

« C'est un ajout, commença-t-il. Scène 114 A. »

Il marchait de long en large dans le bureau.

« Extérieur. Plan d'ensemble sur les plaines,

décréta-t-il. Buck et les Mexicains s'approchent de l'hacienda.

— De quoi ?

— De l'hacienda – du ranch, si vous préférez, lança-t-il avec un regard réprobateur. 114 B. Plan à deux personnages : Buck et Pedro. Buck : "Le fils de pute, je vais lui arracher les tripes !" »

Miss Kagle leva les yeux, surprise :

« Vous voulez que je note ça ?

— Absolument.

— Ça ne passera pas.

— C'est ça que je veux écrire et rien d'autre. Bien sûr que ça ne passera pas. Mais si je me contente de mettre "Le salaud !" ma scène tombe à plat.

— Mais il y aura forcément quelqu'un qui va corriger et écrire "Le salaud !", non ? »

Il lui jeta un regard furibond. Il n'avait pas envie de changer de secrétaire tous les jours.

« Je laisse Harry Gooddorf s'en occuper.

— Comment ça, vous travaillez pour lui ? demanda Miss Kagle, inquiète.

— Jusqu'à ce qu'il me fiche à la porte.

— J'aurais mieux fait de tenir ma langue...

— Ne vous en faites pas, dit-il, rassurant. Ce n'est plus un pote à moi. Plus depuis qu'il me paye trois cent cinquante dollars la semaine, alors qu'avant j'en touchais deux mille. Où en étais-je ? »

Il se remit à faire les cent pas, et répéta à haute voix et avec délectation la dernière réplique de son texte. Elle ne semblait plus, à présent, s'appliquer à un personnage de l'histoire mais à Harry Gooddorf lui-même. Soudain, il s'arrêta, perdu dans ses pensées.

« Au fait, qu'est-ce que vous savez au juste sur son compte qui soit susceptible de le faire épingler ? Vous savez où il a enterré le cadavre ?

— C'est trop vrai pour être drôle.

— Il a buté quelqu'un ?

— Mr. Hobby, je regrette vraiment d'en avoir trop dit.

— Appelez-moi Pat. Et vous, quel est votre petit nom ?

— Helen.

— Mariée ?

— Pas pour l'instant.

— Bon, écoutez-moi, Helen : ça vous dirait que nous dînions ensemble ? »

II

L'après-midi du jour de Noël, il s'efforçait encore de lui arracher son secret. Ils avaient le studio presque pour eux. Le personnel était réduit au strict minimum, juste quelques techniciens éparpillés le long des allées et dans la salle de restaurant. Ils avaient échangé leurs cadeaux : Pat lui avait donné un billet de cinq dollars et Helen lui avait acheté un mouchoir de lin blanc. Il se souvenait encore de ce jour de Noël où il avait fait moisson de douzaines et de douzaines de mouchoirs semblables à celui-là.

Le script avançait à la vitesse d'un escargot mais leur amitié, en revanche, avait fait des progrès spectaculaires. Le secret qu'elle détenait, se disait-il, était un atout des plus précieux, et il se demandait combien d'individus avaient pu changer le cours de leur carrière avec une telle carte dans leur jeu. Il y avait des gens, il en était sûr, pour qui cela avait été le début de la fortune. De fait, c'était presque aussi bien que de faire partie de la famille, et il imaginait déjà la conversation qu'il pourrait avoir avec Harry Gooddorf.

« Écoute Harry, voilà ce que je pense : je crois qu'on ne tire pas le meilleur parti de mon expérience. Ce sont les petits jeunots qui devraient écrire les scénarios. Mon rôle à moi devrait consister essentiellement à superviser leur travail.

— Et alors… ?

— Eh bien, alors ? Devinez ! » disait Pat d'une voix ferme.

Il était au beau milieu de son rêve éveillé lorsque Harry Gooddorf fit inopinément irruption dans la pièce.

« Joyeux Noël, Pat ! » lança-t-il d'un ton jovial.

Son sourire se ternit dès qu'il aperçut Helen.

« Oh, bonjour, Helen. Je ne savais pas que Pat et vous travailliez ensemble. Je vous ai fait envoyer un petit cadeau de remerciement au département des scénarios.

— Oh, vraiment ? Il ne fallait pas ! »

Harry se tourna rapidement vers Pat.

« J'ai le patron sur le dos, dit-il. Il faut que je lui rende le script bouclé, jeudi au plus tard.

— Eh bien, je suis là, dit Pat. Vous l'aurez. Est-ce que je vous ai déjà fait faux bond ?

— C'est que d'habitude, dit Harry, d'habitude... »

Il semblait sur le point d'ajouter quelque chose quand un garçon de courses entra avec une enveloppe qu'il tendit à Helen. Sur quoi, Harry tourna les talons et sortit précipitamment du bureau.

« Il a bien fait de prendre le large ! » explosa Miss Kagle après avoir ouvert l'enveloppe. « Dix dollars ! Un patron qui donne dix dollars à sa secrétaire, dix misérables petits dollars après dix-huit ans de bons et loyaux services. »

Pat vit que c'était le moment de saisir sa chance. Il s'assit sur le bureau de Helen et lui exposa son plan.

« Ça signifie un boulot en or pour vous et pour moi, dit-il. Vous prenez la direction du département des scénarios et moi, je deviens producteur associé. À nous la belle vie, pour le restant de nos jours : plus besoin d'écrire, plus besoin de taper à la machine. Nous pourrions même – pourquoi pas –, si tout se passe bien, nous pourrions même nous marier. »

Elle hésita un bon moment. Lorsqu'il la vit glisser une nouvelle feuille dans la machine, Pat crut qu'il avait perdu la partie.

« Je peux la reconstituer de mémoire, dit-elle. C'est une lettre qu'il a tapée lui-même le 3 février 1921. Il me l'avait donnée, cachetée, pour que je la mette au courrier. Comme il y avait une belle blonde qui l'intéressait à cette époque, je me demandais ce qu'il pouvait bien y avoir dans cette lettre pour qu'il fasse tant de mystères. »

Helen avait continué de taper tout en parlant et elle tendit bientôt à Pat un texte de quelques lignes.

> *À Will Bronson*
> *First National Studio*
> *Courrier personnel*

Cher Bill,

Nous avons liquidé Taylor. On aurait dû le mettre au pas plus tôt. Maintenant, reste plus qu'à la boucler.
Bien à toi,

> *Harry*

Pat regardait fixement la lettre, abasourdi.

« Vous saisissez maintenant ? dit Helen. Le 1er février 1921, William Desmond Taylor, le metteur en scène, s'est fait descendre. Et on n'a jamais trouvé qui a fait le coup. »

III

Elle conservait l'original – lettre et enveloppe – depuis dix-huit ans. Ce qu'elle avait expédié à Bronson était une copie sur laquelle elle avait imité la signature de Gooddorf.

« Mon petit, l'affaire est dans le sac ! dit Pat. J'ai toujours pensé que c'était une fille qui avait abattu Taylor. »

Il était tellement aux anges qu'il ouvrit un tiroir et en sortit une flasque de whisky. Puis, après réflexion, il demanda :

« Vous l'avez mise en lieu sûr, au moins ?

— Vous parlez ! Il ne devinerait jamais où elle est.

— Mon petit, nous le tenons ! »

Fric à gogo, bagnoles, filles et piscines, tout cela défilait sous ses yeux dans un montage éblouissant.

Il plia la lettre, la mit dans sa poche, prit encore un verre et s'apprêta à attraper son chapeau.

« Vous allez le voir tout de suite ? » demanda Helen, non sans inquiétude. « Attendez au moins que je sois sortie du studio. Je n'ai pas envie qu'on me fasse la peau, moi.

— Ne vous inquiétez pas ! Écoutez-moi bien : je vous retrouve à la Muncherie dans une heure à l'angle de la Cinquième Rue et de La Brea. »

Tandis qu'il se dirigeait vers le bureau de Gooddorf, il résolut de ne mentionner ni noms ni faits dans l'enceinte du studio. Pendant la courte période où, dans le temps, il avait dirigé un département de scénarios, il avait conçu le projet de mettre un dictaphone dans chaque bureau. On aurait pu vérifier ainsi, plusieurs fois par jour, la loyauté des scénaristes envers les directeurs.

Cette idée avait bien fait rire tout le monde. Mais plus tard, quand on l'avait rétrogradé au rang de simple scénariste, il s'était souvent demandé si son plan n'avait pas été secrètement exécuté et si ce n'était pas à la suite d'une remarque imprudente de sa part qu'on l'avait mis au placard ces dix dernières années. C'est donc avec l'idée qu'il pourrait y avoir des dictaphones cachés – ces dictaphones qui se mettaient en marche sur la simple pression d'un orteil – qu'il entra dans le bureau de Harry Gooddorf.

« Harry, dit-il, choisissant ses mots avec soin, vous souvenez-vous de la nuit du 1er février 1921 ? »

Quelque peu ébranlé, Gooddorf bascula en arrière sur sa chaise pivotante.

« Pardon ?

— Réfléchissez bien. Cela est pour vous de la plus haute importance. »

Le visage de Pat, en observant son ami, avait pris l'expression d'un croque-mort pressé de finir sa besogne.

« Le 1er février 1921 ? fit Gooddorf, l'air songeur. Non, ça ne me dit rien du tout. Vous croyez peut-être que je tiens un agenda ? Je ne sais même pas où j'étais à cette époque.

— Vous étiez ici même, à Hollywood.

— Probablement. Si vous savez ce que je faisais, alors, dites-le-moi.

— La mémoire va sûrement vous revenir.

— Voyons voir. Je suis arrivé sur la côte en 1916. J'ai travaillé à la Biograph jusqu'en 1920. Qu'est-ce que j'ai fait ensuite – peut-être des comédies ? Oui, c'est ça. Je faisais une comédie intitulée *Knuckleduster*. On tournait en extérieur.

— Vous n'étiez pas tout le temps en extérieur. Vous étiez en ville, le 1er février.

— Mais qu'est-ce que tout cela signifie ? C'est un interrogatoire en règle, ou quoi ?

— Non, mais j'ai quelques renseignements concernant vos faits et gestes ce jour-là. »

Le visage de Gooddorf devint cramoisi. Il sembla un instant qu'il allait flanquer Pat à la porte. Puis il se mit d'un coup à suffoquer, il se passa la langue sur les lèvres, les yeux rivés à son bureau.

« Oh », fit-il, et au bout d'une minute : « Mais je ne vois pas en quoi ça vous regarde.

— Ça me regarde au même titre que ça regarde n'importe qui d'honnête.

— Et depuis quand êtes-vous honnête ?

— Depuis toujours, dit Pat, et quand bien même ce ne serait pas le cas, je n'ai jamais fait une chose pareille, moi !

— Mon œil ! lança Harry, plein de mépris. Ça vous va bien de jouer les petits saints, maintenant ! Et de toute façon, quelles preuves avez-vous ? À vous entendre, on croirait que vous avez des aveux écrits. Toute cette histoire est tombée aux oubliettes depuis des lustres.

— Les honnêtes gens n'ont pas oublié. Quant aux aveux écrits, je les ai bel et bien.

— Je ne vous crois pas ! Et je doute fort que vous puissiez présenter ça devant un tribunal, quel qu'il soit. On vous a fait marcher.

— Mais je les ai vus, de mes propres yeux », dit Pat, de plus en plus sûr de lui. « Et il y a largement de quoi vous faire pendre.

— Bon sang ! Si vous ébruitez quoi que ce soit de cette histoire, je vous chasserai de Hollywood.

— Me chasser de Hollywood, moi ?

— Je ne veux pas la moindre indiscrétion.

— Dans ce cas, je pense que vous feriez bien de me suivre. Et ne dites rien à personne.

— Où allons-nous ?

— Je connais un bar où nous serons tranquilles. »

Il n'y avait personne, en effet, à la Muncherie, à l'exception du barman et de Helen Kagle qui était assise à une table, tremblante d'inquiétude. En la voyant, Gooddorf changea d'expression et lui jeta un regard lourd de reproche.

« C'est ce qu'on appelle un Noël pourri, fit-il. Dire que ma famille m'attend à la maison depuis déjà une heure. Je voudrais bien savoir le fond de l'affaire. Vous prétendez avoir quelque chose écrit de ma main ? »

Pat sortit la feuille de sa poche et lut la date à haute voix. Puis il leva brusquement les yeux.

« Ceci n'est qu'une copie. N'essayez pas de me l'arracher des mains. »

Pat connaissait bien la technique de ce genre de scène. Quand la vogue des westerns était retombée pour un temps, il avait sué sang et eau sur une kyrielle de films policiers.

« À William Bronson. Cher Bill, Nous avons liquidé Taylor. On aurait dû le mettre au pas plus tôt. Maintenant, reste plus qu'à la boucler. Bien à toi, Harry. »

Pat marqua une pause. « Vous avez écrit ceci le 3 février 1921. »

Silence. Gooddorf se tourna vers Helen.

« C'est vous qui avez écrit cela ? Je vous ai dicté cette lettre ?

— Non, reconnut-elle, intimidée. C'est vous-même qui l'avez tapée. Je l'ai ouverte.

— Je vois. Qu'attendez-vous de moi ?

— Beaucoup », dit Pat. Le mot lui plaisait, il sonnait bien.

« Quoi exactement ? »

Pat se lança dans la description de la carrière qui convenait à un homme de quarante-neuf ans. Une carrière brillante qui, le temps qu'il descende trois grands verres de whisky, avait atteint des sommets de gloire et de beauté. Mais il y avait une condition sur laquelle il ne cessait de revenir. Il voulait être nommé producteur dès le lendemain.

« Pourquoi demain ? demanda Gooddorf. Ça ne peut pas attendre ? »

Des larmes montèrent d'un coup aux yeux de Pat, de vraies larmes.

« C'est Noël, dit-il. C'est mon vœu de Noël. Je n'ai pas eu la vie facile ! Ça fait si longtemps que j'attends. »

Gooddorf se leva d'un bond.

« Il n'en est pas question. Je ne vous nommerai pas producteur. Je ne peux pas, ce ne serait pas honnête envers la compagnie. Je préfère passer devant la justice. »

Pat demeura bouche bée.

« Comment, vous refusez ?

— C'est hors de question. Je préfère me balancer au bout d'une corde. »

Il fit volte-face, le visage déterminé, et se dirigea vers la porte.

« Attendez, attendez, dit Pat en le rappelant, c'est votre dernier mot ? »

Il eut alors la surprise de voir Helen Kagle se lever d'un bond et courir après Gooddorf, en essayant de passer ses bras autour de lui.

« Ne vous inquiétez pas, Harry, cria-t-elle. Je vais déchirer ce papier, Harry. C'était seulement une plaisanterie, Harry. »

Sa voix se fit traînante... Elle s'était rendu compte que Gooddorf se gondolait de rire.

« Qu'est-ce qu'il y a de drôle ? s'enquit-elle, de

nouveau en colère. Tu penses que je n'ai pas cette lettre ?

— Mais non, mais non ! Bien sûr tu l'as, mais ce n'est pas ce que vous croyez. »

Il revint à la table, s'assit et se tourna vers Pat.

« Vous savez ce que j'ai cru que cette date voulait dire ? J'ai pensé que c'était peut-être le jour où Helen et moi sommes sortis ensemble la première fois. Voilà ce que j'ai cru. Et j'ai pensé qu'elle allait monter tout ça en épingle. J'ai cru qu'elle était devenue folle. Elle a été mariée deux fois depuis, et moi aussi du reste.

— Cela n'explique pas la note, dit Pat d'un ton austère mais avec un sentiment de défaite. Vous reconnaissez avoir tué Taylor ? »

Gooddorf acquiesça de la tête.

« Oui, mais je suis loin d'être le seul, dit-il. On était une bande de sacrés lascars avec Taylor, Bronson, et la moitié des gars qui trempaient dans les grosses affaires. À un moment donné, on s'est réunis à quelques-uns et on est tombés d'accord pour calmer le jeu. Tout le pays attendait qu'on envoie quelqu'un à la potence. On a essayé de convaincre Taylor de faire gaffe, mais il n'a rien voulu savoir. Alors, au lieu de le mettre au pas, on l'a laissé continuer à mener son train d'enfer. Et un salopard ou un autre l'a descendu. Qui a fait le coup, je l'ignore. »

Il se leva.

« De la même façon que quelqu'un aurait dû vous mettre au pas, vous, Pat. Mais vous étiez un garçon amusant à l'époque, et, de plus, on avait tous d'autres chats à fouetter. »

Pat se mit à renifler.

« On m'a bel et bien remis au pas, moi ! dit-il. Et pas qu'une fois.

— Certes, mais trop tard », dit Gooddorf avant d'ajouter : « Vous avez sans doute un autre vœu de Noël à l'heure qu'il est, et je me ferai un plaisir de l'exaucer. Je ne dirai pas un mot de ce qui s'est passé cet après-midi. »

Lorsqu'il fut parti, Pat et Helen restèrent assis en silence. Au bout d'un moment, Pat sortit la note de nouveau et la parcourut.

« "Maintenant, reste plus qu'à la boucler", lut-il à voix haute. Il ne s'est pas expliqué sur ce point.

— C'est comme ça : maintenant, reste plus qu'à la boucler », dit Helen.

ANTON TCHEKHOV

À Noël

I

« Que faut-il lui dire ? » demanda Iégor en trempant sa plume dans l'encrier.

La Vassilissa n'avait pas vu sa fille Iéfimia depuis quatre ans. Après son mariage, celle-ci était partie à Pétersbourg avec son mari, avait écrit deux fois puis cela avait été le silence des grands lacs : elle n'avait plus donné signe de vie. Et que la vieille femme fût en train de traire sa vache à l'aube, d'allumer le poêle ou, la nuit, de somnoler, elle ne pensait qu'à une seule chose : que faisait Iéfimia là-bas, était-elle en vie ? Il aurait fallu lui envoyer une lettre, mais son vieux ne savait pas écrire, et elle n'avait personne à qui le demander.

Puis Noël était venu et la Vassilissa, n'y tenant plus, s'était rendue chez Iégor, l'aubergiste, le frère de sa propriétaire qui, depuis son retour du service, restait sans sortir de son auberge, à ne rien faire ; on disait qu'il était capable de tourner convenablement une lettre, à condition de le payer ce qu'il fallait. La Vassilissa en avait parlé à la cuisinière, puis à sa propriétaire, puis à Iégor lui-même. Ils étaient tombés d'accord sur quinze kopeks.

Et maintenant – cela se passait le deuxième jour des fêtes de Noël – Iégor était assis à la table, dans la cuisine de l'auberge, une plume à la main. La Vassilissa se tenait devant lui, songeuse, l'air soucieux et affligé. Elle était accompagnée de Piotr, son vieux mari, un homme très maigre, grand, chauve, le crâne tout bronzé ; il avait le regard fixe et droit comme un aveugle. Un rôti de porc à la casserole cuisait sur la plaque ; il grésillait, pétillait, et semblait même dire : « fliou-fliou-fliou ». L'atmosphère était étouffante.

« Que faut-il lui écrire ? redemanda Iégor.

— Ben quoi ! dit la Vassilissa en lui lançant un regard irrité et soupçonneux. Me bouscule pas. T'écris pas pour rien, on te paye ! Alors, écris. À notre cher gendre Andréï Chrisanfytch et à notre fille unique chérie Iéfimia nous envoyons avec amour notre profond salut et notre bénédiction paternelle et maternelle, éternelle et irrévocable.

— Ça y est. La suite, feu à volonté !

— Ajoute : Nous leur souhaitons de bonnes fêtes de Noël, nous sommes en vie et en bonne santé, et nous demandons au Seigneur… roi des Cieux que ça soit pareil pour vous. »

La Vassilissa réfléchit et échangea un regard avec son vieux.

« Et nous demandons au Seigneur… roi des Cieux que ça soit pareil pour vous », répéta-t-elle en fondant en larmes.

Elle ne put ajouter un mot. La nuit, quand elle y réfléchissait, il lui avait semblé qu'elle n'arriverait pas à tout dire même en dix lettres. Depuis que leur fille et son mari étaient partis, beaucoup d'eau avait coulé dans la mer, les vieux vivaient comme des orphelins et ils poussaient, chaque nuit, des soupirs lourds de peine, comme s'ils avaient enterré leur fille. Et il s'en était passé, des événements, au village pendant ce temps, que de mariages, que de morts ! Que les hivers avaient été longs ! Que les nuits étaient longues !

« Il fait chaud ! dit Iégor en déboutonnant son gilet. Il doit faire soixante-dix degrés ici. Et j'ajoute quoi ? » demanda-t-il.

Les vieux se taisaient.

« Qu'est-ce qu'il fait, ton gendre ? demanda Iégor.

— C'est un ancien soldat, mon gars, tu le sais bien, répondit le vieux d'une voix faible. Il est revenu du service en même temps que toi ! Il a fait son temps, et maintenant, il est à Pétersbourg dans un établissement d'hydrothérapie. Le docteur guérit les malades avec de l'eau. Alors comme ça, il est suisse chez le docteur.

— C'est écrit là, dit la vieille en sortant une lettre de son fichu. On l'a reçue d'Iéfimia, y a Dieu sait combien de temps. Peut-être qu'ils ne sont plus de ce monde. »

Iégor réfléchit un instant et se mit à écrire rapidement.

« Actuellement, écrivait-il, vu votre destin s'ait fixer de par lui-même sur la carière des arme, nous vous conseillons de consulter le Règlement des Punition et le Code Pénal du Ministère de la Guerre et vous apercevrez, dans le dit code, la civilization des Fonctionnaire du Ministère de la Guerre. »

Il écrivait en lisant tout haut ce qu'il avait couché sur le papier, cependant que la Vassilissa réfléchissait à ce qu'il faudrait dire : quelle disette il y avait eu l'année dernière, on n'avait pas eu de blé pour aller jusqu'à Noël, il avait fallu vendre la vache. Il faudrait demander de l'argent, écrire que le vieux était souvent malade et rendrait peut-être bientôt son âme à Dieu... Mais comment exprimer cela ? Qu'est-ce qu'il fallait dire avant et qu'est-ce qu'il fallait dire après ?

« Prêter attention, continuait à écrire Iégor, au taume cinq du Règlement Militaire. Soldat ait un Nom commun, Illustre. On appelle Soldat le Général en Chef et le dernier Troupié... »

Le vieux remua les lèvres et dit à voix basse :

« Si on pouvait voir nos petits-enfants, ça serait bien.

— Quels petits-enfants ? demanda la vieille en lui lançant un regard de colère. Peut-être qu'il n'y en a pas !

— Des petits-enfants ? Et peut-être qu'il y en a. Qui sait ?

« Et d'après ça vous pouver juger, écrivait Iégor d'une plume hâtive, qui ait l'Enemi Etrangé et qui ait l'Enemi Intérieur. Le premié de nos enemi Intérieurs ait Bacchus. »

La plume grinçait, décrivait sur le papier des boucles pareilles à des hameçons. Iégor se hâtait et relisait chaque ligne à plusieurs reprises. Il

était assis sur un tabouret, les jambes largement
écartées sous la table, repu, la mine florissante,
avec sa grosse gueule et sa nuque rouge. C'était
la vulgarité même, brutale, arrogante, invincible, fière d'être née et d'avoir grandi dans une
auberge et la Vassilissa sentait parfaitement cela,
mais elle ne pouvait l'exprimer en paroles et se
contentait de regarder Iégor d'un œil irrité et
soupçonneux. La voix d'Iégor, les mots incom-
préhensibles qu'il disait, la chaleur, le manque
d'air, lui avaient donné mal à la tête, troublé les
idées, et elle ne disait plus rien, ne pensait plus
rien, attendant seulement qu'il eût fini de grin-
cer avec sa plume. Le vieux regardait faire avec
une confiance entière. Il avait confiance en la
vieille qui l'avait amené là, et en Iégor ; et quand
il avait parlé, un instant plus tôt, de l'établissement d'hydrothérapie, on voyait à son visage
qu'il croyait et à cet établissement et à la vertu
curative de l'eau.

La lettre finie, Iégor se leva et la relut toute
depuis le début. Le vieux ne comprenait pas mais
opinait du chef avec confiance.

« Ça va, ça ne fait pas un pli... dit-il, Dieu te
donne la santé. Ça va... »

Ils posèrent sur la table trois pièces de cinq
kopeks et s'en allèrent ; le vieux avait le regard
fixe et droit, comme un aveugle, sur son visage on
lisait une entière confiance, la Vassilissa, elle, en
sortant de l'auberge, montra le poing au chien et
lui dit d'un ton furieux :

« Hou, choléra ! »

Elle ne dormit pas de la nuit, ses pensées la

tenaient en souci, à l'aube elle se leva, dit sa prière et alla porter sa lettre à la gare.

De chez elle à la gare, il y avait douze verstes.

II

L'établissement hydrothérapique du docteur Moselweiser était ouvert le Premier de l'An comme les autres jours, simplement le portier, Andréï Chrisanfytch, avait des galons neufs à son uniforme, des bottes particulièrement brillantes et accueillait tous les arrivants en leur souhaitant une bonne et heureuse année.

C'était le matin. Andréï Chrisanfytch, debout devant la porte, lisait le journal. À dix heures précises il vit arriver un général qu'il connaissait bien, un habitué, suivi du facteur. Le portier débarrassa le général de sa capote et dit :

« Bonne et heureuse année, Votre Excellence !

— Merci, mon ami. Je t'en souhaite autant. »

En montant l'escalier, le général désigna une porte du menton et demanda (il le demandait à chaque fois et l'oubliait aussitôt) :

« Qu'est-ce que c'est que cette pièce ?

— La salle de massage, Votre Excellence. »

Quand le pas du général se fut évanoui, Andréï Chrisanfytch examina le courrier et trouva une lettre à son nom. Il la décacheta, lut quelques lignes, puis, sans se presser, tout en parcourant des yeux le journal, il se rendit dans sa chambre qui se trouvait au rez-de-chaussée même, au bout du couloir. Sa femme Iéfimia, assise sur son lit, donnait la tétée à son bébé ; un deuxième enfant, l'aîné, se tenait à côté d'elle, sa tête bouclée posée sur les genoux de sa mère, un troisième dormait dans le lit.

En entrant, Andréï tendit la lettre à sa femme et dit :

« Ça doit venir du village. »

Puis, sans quitter son journal des yeux, il sortit et s'arrêta dans le couloir, non loin de la porte de sa chambre. Il entendit Iéfimia lire les premières lignes de la lettre d'une voix tremblante. Elle ne put continuer ; il lui suffisait de ces premières lignes, elle fondit en larmes et, serrant son aîné dans ses bras, le couvrant de baisers, elle se mit à parler, et l'on ne savait pas si elle pleurait ou si elle riait.

« C'est de grand-mère, de grand-père... disait-elle. Du village... Reine des Cieux, Saints du Paradis ! En ce moment, là-bas, il y a de la neige jusqu'au toit... Les arbres sont tout blancs. Les petits enfants font de la luge... Et grand-père, qui est tout chauve, est sur le poêle... Et il y a un tou-tou jaune... Oh ! mes parents chéris... »

En entendant cela, Andréï Chrisanfytch se souvint qu'à trois ou quatre reprises, sa femme lui avait donné des lettres et lui avait demandé de les mettre à la poste, mais des affaires importantes l'en avaient empêché : il ne les avait pas portées, elles traînaient quelque part.

« Et les lièvres courent dans la campagne, disait Iéfimia, toute baignée de larmes, poursuivant sa litanie et embrassant son petit. Grand-père est tranquille, bon, grand-mère aussi, elle est bonne, compatissante. Au village, on vit bien d'accord, on respecte le Seigneur… Il y a une petite église, des paysans qui chantent dans le chœur. Emmène-nous d'ici, Reine des Cieux, Mère Protectrice. »

Andréï Chrisanfytch rentra dans sa chambre pour y fumer une cigarette en attendant l'arrivée du prochain client et Iéfimia se tut aussitôt, se calma et essuya ses larmes ; seules ses lèvres tremblaient. Elle craignait beaucoup son mari. Ah, ce qu'elle le craignait ! Le bruit de ses pas, son regard, la faisaient frémir, la remplissaient d'épouvante, en sa présence elle n'osait pas dire un mot.

Il alluma une cigarette mais, juste à ce moment, on sonna. Il éteignit sa cigarette et, prenant une mine grave, courut à la grande porte.

Le général descendit, le teint rose, rafraîchi par le bain.

« Et dans cette chambre, qu'est-ce qu'il y a ? » demanda-t-il en montrant une porte.

Andréï Chrisanfytch rectifia la position, la main sur la couture du pantalon, et répondit d'une voix forte :

« La douche Charcot, Excellence. »

MARCEL AYMÉ

Conte de Noël

Il y avait au deux-sept-six d'infanterie un adjudant très bon et très doux qui s'appelait l'adjudant Constantin. Il aurait aimé que chaque fantassin eût un cheval pour le porter et prît son petit déjeuner au lit, mais il comprenait bien que c'était impossible. Le militaire n'est pas fait pour s'énerver dans une existence de plaisir, au contraire. Et c'est justement le devoir de l'adjudant de veiller à ce qu'il ne s'endorme pas, comme de faire respecter la discipline sans laquelle il n'y a autant dire point d'armée. D'ailleurs, si le fantassin avait un cheval, il ne serait pas un fantassin, mais un cavalier, et la chose n'irait pas sans conséquences. C'est une question de principe. Il faut que chacun soit à sa place. C'est pourquoi l'adjudant Constantin punissait beaucoup. À toute heure du jour, on pouvait l'entendre crier dans la cour : « Vous coucherez à la boîte ce soir ! » ou bien : « Vous serez de corvée où vous savez ! » ou encore : « Je veux que ça fasse quinze au colonel ! » Mais, tandis qu'il faisait pleuvoir les punitions, son cœur saignait de pitié, et il lui arrivait de soupirer tout bas : « Si seulement je pouvais coucher en prison à leur place ! » Et quand il ne le soupirait pas, il le pensait. C'était un adjudant vraiment très bon. Il punissait parce qu'il ne pouvait pas faire autrement. Mais les hommes du deux-sept-six ne comprenaient pas que c'était pour leur bien. Ils disaient n'avoir jamais vu aussi sale vache que l'adjudant Constantin, et lui, qui entendait parfois leurs propos, il en avait une si grande peine que le soir venu, dans son lit, il ne pouvait pas s'empêcher de pleurer. Il pensait que les galons d'adjudant sont difficiles à porter, bien plus que ceux de capitaine ou de commandant.

La plus mauvaise tête du deux-sept-six était sûrement Morillard. Il répondait à ses supérieurs, laissait la rouille se mettre dans son fusil, lisait les journaux subversifs, écrivait *À bas l'armée* sur les murs de la caserne, sortait sans permission, rentrait saoul perdu et quelquefois, ne rentrait pas de la nuit. Enfin, il faut bien le dire, il allait plus que personne au grand huit de la rue du Vert-Vert, et de ce qu'il faisait là-bas, on aime autant se taire. Le caporal Meunier qui l'y avait accompagné une fois, disait que c'était impossible à se figurer quand on n'avait pas déjà un peu vécu.

Parfois, en rugissant un blasphème de principe, l'adjudant Constantin menaçait Morillard de lui faire pisser le sang, mais c'était une façon de parler tout habituelle, et aussi pour lui faire peur un peu. En réalité, il souhaitait que la libération de la classe arrivât bien vite, avant qu'une imprudence ne précipitât cette mauvaise tête dans une dangereuse aventure. Et Morillard n'avait pas moins de hâte que son adjudant, car il n'était jamais bien sûr de lui, ni des surprises du lendemain.

— Vivement la classe, disait-il. Je veux qu'un cochon soit mon oncle si jamais je rengage !

Pourtant Morillard rengagea un mois avant la libération de la classe. Voilà ce qui s'était passé : Au numéro huit de la rue du Vert-Vert, il était arrivé une grande fille plus blonde qu'on ne peut dire. Rien que son nom était José. Elle avait les yeux blonds aussi, et si doux et si chauds qu'il leur suffisait d'un regard pour dévorer le cœur d'un homme. Son arrivée avait fait grand bruit dans la garnison. Même les officiers, qui avaient pourtant de la distraction avec les femmes sérieuses, venaient la voir au grand huit. Elle faisait pour eux ce qu'il fallait, mais sans plus, et avec un air distant. Il y a des natures de femmes que le galon n'étonne presque pas. Dès la première semaine, José avait distingué Morillard, et c'est pourquoi il avait rengagé. L'adjudant Constantin avait vainement essayé de l'en dissuader, lui représentant qu'il n'arriverait jamais à un grade, et qu'il ferait mieux de se chercher une position dans le civil, non pas que de se gâcher l'avenir pour une peau de garnison. Tous ses sous, il allait les manger au grand huit. Et quand sa garce quitterait la ville, alors quoi, il déserterait ? Valait autant le dire. Et comme le fantassin ne répondait pas, il avait ajouté :

— D'abord, si vous rengagez, moi je vous ferai pisser le sang.

Mais il l'avait dit si doucement que Morillard en avait oublié de prendre ses grands airs arrogants, et qu'il s'était senti troublé. Au fond, il savait bien que l'adjudant avait raison, et qu'il n'y a point de sagesse à rengager pour des fantaisies de traversin. Mais sa décision était prise et il avait déjà commandé sa tenue de fantaisie. Sa classe libérée, il resta au deux-sept-six, et tous les jours qu'il ne passait pas en prison, il s'en allait au grand huit retrouver la garce. Le pire était que José n'eût pour lui aucune ambition. Elle ne songeait pas à s'étonner qu'il demeurât fantassin de deuxième classe, et le jour où elle apprit qu'il était un mauvais soldat, elle n'en fut même pas choquée. Les filles de mauvaise maison ne savent pas qu'il ne peut y avoir de meilleur plaisir pour le militaire que celui d'accomplir son devoir.

Le matin de la veille de Noël, l'adjudant Constantin découvrit Morillard au magasin d'habillement où il devisait avec le garde-magasin en se chauffant les pieds, au lieu de faire l'exercice dans la cour. Il voulut prendre la chose avec bonhomie et se borna tout d'abord à lui prédire le conseil de guerre. Morillard chercha mollement ses galoches du bout de son chausson fumant, en grommelant qu'il y avait toujours des faces de cocus pour se mêler de ce qui ne les regardait pas. En considération des fêtes de Noël, l'adjudant voulut bien ne pas entendre. D'ailleurs, il ne croyait pas que l'expression face de cocu, appliquée à un célibataire, fût une injure grave. Il prononça simplement d'une voix ferme :

— Morillard, allez mettre vos souliers et descendez dans la cour.

Morillard quitta le magasin, et l'adjudant le suivit du regard jusqu'à ce qu'il fût dans l'escalier. Un quart d'heure plus tard, passant par les cuisines, il trouva son homme, en galoches, qui faisait une partie de dames avec l'un des cuisiniers. Il ne crut pas pouvoir se dérober à l'obligation de lui infliger quatre jours de prison, et Morillard ricana :

— Me voilà en tenue. J'ai bien fait de garder mes galoches.

L'adjudant Constantin fut non seulement attristé par l'incident, mais bourrelé de remords. Depuis trois jours, il évitait Morillard pour n'avoir pas l'occasion de le punir. Il avait même, à mots couverts, donné aux sergents la consigne de se montrer plus indulgents qu'à l'ordinaire :

— Puisqu'il a rengagé pour les beaux yeux de cette fille-là, qu'il puisse au moins aller la voir pour Noël.

Lui-même avait fait preuve de toute l'indulgence possible. Au magasin d'habillement, où il n'était entré que par hasard, il avait eu au moins deux motifs de punir. Quel sergent, quel caporal même eût laissé passer l'appellation de face de cocu ? Morillard ne manquerait pas, un jour ou l'autre, de se vanter d'avoir pris cette liberté avec Constantin. D'ailleurs, l'affaire avait eu un témoin en la personne du garde-magasin. L'adjudant ne pouvait pas non plus se reprocher une excessive sévérité. Quatre jours de prison pour un refus d'obéissance étaient une sanction bénigne. Encore ne porterait-il pas le véritable motif, mais, simplement : « A été surpris à jouer aux dames pendant l'exercice », ce qui ferait dire encore au capitaine : « Vous êtes bien sévère, Constantin, pour un rengagé. » Car c'était son lot d'être détesté des hommes et rabroué par les officiers qui le regardaient un peu comme un policier hargneux. Peut-être qu'ils avaient raison, pensait l'adjudant : quel besoin avait-il eu de passer au magasin d'habillement et aux cuisines ? Quel flair de chien policier l'avait conduit à Morillard ?

Un peu avant l'heure de la soupe, il fit une inspection rapide et distraite des chambrées. Pourtant, il remarqua dans l'une d'elles deux paquetages mal bâtis qui lui semblaient un défi à la bonne ordonnance. Posés de guingois sur la planche de bois blanc, ils déparaient l'alignement et ressemblaient à des tas de linge sale. Les effets étaient aussi mal pliés que les chemises et les caleçons. Choqué, l'adjudant Constantin fit basculer sur le lit le paquetage qui se trouvait à portée de sa main. Alors, parmi les effets épars, il reconnut la vareuse fantaisie à poches rapportées, qui appartenait à Morillard. Il eut un geste de regret, puis, songeant que Morillard était en prison, réfléchit qu'il n'aurait pas la peine de refaire son paquetage. Craignant que la vareuse ne prît un faux pli dans la position où il l'avait mise, il la souleva d'un mouvement attentif et entendit un bruit de papier froissé. En même temps, un paquet plat enrubanné coula doucement d'entre les pans de la veste. Sous un transparent glacé, il vit une chemise de femme, bleu ciel, brodée de guirlandes de marguerites. L'adjudant Constantin fut bouleversé. Il tenait le cadeau de Noël que Morillard avait préparé à l'intention de la grande blonde et qu'il devait lui offrir le soir même. Son remords en fut avivé. Il se reprocha furieusement sa maladresse. « J'ai bouclé un amoureux, et voilà une fille qui n'aura pas son Noël, par ma faute. » Il regarda tendrement la chemise bleue et murmura, en hochant la tête : « C'est quand même un garçon délicat. Moi, je n'aurais jamais pensé à ça. » Il réfléchit aux moyens de rendre sa liberté à Morillard, mais c'était impossible maintenant, le capitaine était déjà informé. Il eut un geste de détresse et s'accusa à haute voix :

— Chien de quartier, quoi... voilà ce que je suis... un chien de quartier...

Une sonnerie de clairon l'interrompit et il s'avisa que le secret de Morillard était étalé sur le lit. D'une main preste, il saisit le léger paquet qu'il mit en place avec de longues précautions. Puis il refit lui-même le paquetage, pour que nul n'y portât la main, pliant pièce par pièce le linge et les vêtements. Quand il eut achevé, il recula de quelques pas pour mieux apprécier son travail et fut mécontent. Son paquetage était le plus mal fait entre tous les autres, et il songea en quittant la chambrée : « Ce n'est pas si facile qu'on croit, il faut du temps... et puis, à quoi ça sert de faire un beau paquetage ? »

Toute la journée, il fut tourmenté par le souvenir de la chemise bleue aux guirlandes brodées. Sans espoir, il tenta une démarche auprès du capitaine pour que Morillard obtînt, sinon la permission de minuit, celle de sortir une heure après la soupe du soir. Le capitaine haussa les épaules :

— Mais, Constantin, vous perdez la tête ! Un

puni de prison aller se promener en ville ? On n'aurait jamais vu ça !

— Je sais bien, mon capitaine, mais c'est parce qu'il a une petite... une grande blonde qui attend son cadeau de Noël...

— Oui, oui, j'en ai entendu parler... Et c'est vous, Constantin, qui voulez faire le jeu de ce petit maquereau, et contre le règlement, encore ? Je ne vous reconnais plus, ma parole, on vous a changé dans la nuit.

— Mais non, pas tellement... Je suis comme d'habitude...

L'adjudant n'osa pas parler de la chemise bleue. Le soir, à l'heure de la soupe, il alla au poste de garde et demanda à voir la prison, sous prétexte de s'assurer qu'on n'y fumait pas. Morillard, seul prisonnier, était déjà roulé dans sa couverture. En entrant, l'adjudant Constantin fut pris à la gorge par une forte odeur de tabac et dut se retenir de tousser. Il s'informa auprès de Morillard s'il avait assez de couvertures. Le prisonnier lui jeta un regard furieux et se retourna face au mur, sans répondre.

— C'est Noël, dit encore l'adjudant, exception-nellement on pourrait peut-être, si vous aviez envie de quelque chose, ou une course à faire en ville... pour une connaissance...

Morillard ne répondit pas, mais l'adjudant Constantin, après avoir refermé la porte, l'enten-dit longuement soupirer.

De onze heures à minuit, l'adjudant Constan-tin entendit rentrer tous les hommes qui étaient sortis en ville. De sa chambre, qui donnait sur la cour, il les voyait d'abord défiler sous la lumière du poste et pouvait mettre un nom sur chaque visage. Il les regarda soigneusement, dans l'espoir insensé que le prisonnier avait pu s'entendre avec le sergent du poste pour s'échapper une heure ou deux. Mais le dernier homme rentra sans qu'il eût reconnu Morillard. Il se mit au lit en grommelant contre le sergent qu'il jugea manquer d'initiative. Il ne put trouver le sommeil et pensa presque sans cesse au prisonnier, à la chemise bleue, et à la grande blonde qui attendait encore. Vers une heure du matin, il se leva, et pour tromper son insomnie, décida de faire une ronde dans les étages. Il y avait peu de chances qu'il surprît un homme à sortir, et il n'en avait aucune envie. Son seul but était d'apaiser ses nerfs. Il s'habilla sommairement, coiffa son képi, et prit une lampe de poche. En arrivant au premier étage, il entendit le bruit d'un pas léger dans le grand couloir et braqua sa lanterne. Un enfant tout nu, chargé d'une hotte, s'arrêta dans le faisceau de lumière, en protégeant ses yeux éblouis avec ses deux mains. L'adjudant Constantin sourit, car il venait de reconnaître l'enfant Noël qu'il avait déjà rencontré une année. Il s'approcha et demanda cordialement :

— Qu'est-ce que vous leur apportez de beau, à mes gaillards ?

— Pas grand-chose, répondit l'enfant Noël. C'est qu'ils sont déjà un peu grands, savez-vous bien…

— Quand même, protesta l'adjudant, ils sont encore à l'âge où l'on grandit.

— En tout cas, ils n'ont pas l'air malheureux. J'ai vu qu'ils avaient tous de jolis fusils.

— C'est du jouet un peu sérieux.

— Et puis, je ne suis pas très riche non plus, dit l'enfant Noël, surtout cette année. Alors, je leur apporte de bonnes pensées. On en a toujours besoin. C'est utile et agréable en même temps.

L'adjudant hocha la tête.

— Bien sûr, dit-il, les bonnes pensées, c'est toujours autant. Mais ça ne brille pas beaucoup. Moi qui vous parle, je suis chargé de les faire entrer dans la tête du fantassin ; je ne sais pas si c'est utile, mais ce n'est sûrement agréable pour personne. Il faut dire que je n'ai pas les moyens non plus…

— Et comment vous y prenez-vous ?

Constantin montra sur la manche de sa capote son galon d'adjudant et dit à l'enfant Noël :

— Voilà mes moyens… oui, ça paraît drôle au premier abord…

— Et vous travaillez la nuit aussi, à ce que je vois ?

— Oh ! non, plutôt la journée. La nuit, je fais simplement des rondes. Vous comprenez, si je n'avais pas l'œil, mes gaillards se mettraient à faire le mur, et qu'est-ce qui se passerait ? c'est qu'ils s'en iraient vers les femmes attraper les maladies.

— Les maladies ?

L'adjudant Constantin s'empressa de changer de conversation et demanda à l'enfant Noël où il en était de sa distribution.

— J'ai encore un paquet de bonnes pensées à répartir dans la dernière chambrée.

— Si vous voulez, proposa l'adjudant, je vais vous éclairer avec ma lanterne. Ce sera plus commode.

— Volontiers. De votre côté, vous verrez comment je m'y prends.

L'enfant Noël précéda l'adjudant Constantin dans la chambrée. La lampe électrique éclaira tout d'abord le râtelier d'armes, puis un premier lit où dormait un soldat. L'adjudant sourit et murmura :

— C'est Turier, du deuxième contingent... Un bon garçon, vous savez... Oui, Turier Robert, il s'appelle...

L'enfant Noël prit une bonne pensée dans sa hotte, la glissa sous le traversin de Turier, et borda le soldat dans son lit, d'un geste vif.

— C'est bien commode, dit l'adjudant. Et vous êtes sûr du résultat ?

— Vous pensez ! depuis le temps que je fais mes tournées, j'ai pu apprécier les bons effets de ma méthode. Si vous voulez l'essayer, je tiendrai la lampe électrique.

— Oh ! Vous croyez que moi aussi, je pourrais...

— Bien sûr ! Vous m'avez vu faire, ce n'est pas difficile.

L'enfant Noël s'empara de la lanterne et éclaira le second lit. L'adjudant prit une bonne pensée dans la hotte et la fit passer sous le traversin de Bérignon Joseph, puis il borda Bérignon des deux côtés.

— Ce n'est pas plus malin que ça, dit l'enfant Noël. Et rien ne vous empêche d'ajouter une bonne pensée qui vienne de vous. Mais, bien entendu, il faut qu'elle soit bonne.

— Pour ce soir, j'aime mieux user les vôtres, je suis plus tranquille. Demain, j'en préparerai d'autres. C'est qu'il ne s'agit pas de se tromper.

L'adjudant voulut distribuer toutes les bonnes pensées, et, chaque fois qu'il bordait un homme dans son lit, il lui murmurait à l'oreille des paroles d'amitié.

L'enfant Noël trouvait qu'il s'attardait un peu trop et le pressait avec impatience.

— Dépêchons-nous. J'ai encore du travail, vous finirez par me mettre en retard. Allons, à l'autre lit, maintenant.

Dans la deuxième rangée, le faisceau de lumière tomba sur un lit vide, dépouillé de ses couvertures.

— Tiens, fit observer l'enfant Noël, il manque un soldat.

Le visage heureux de l'adjudant se rembrunit.

— C'est le lit de Morillard. Un bon garçon aussi, qui n'a pas eu de chance. Si je vous avais rencontré seulement un jour plus tôt, il ne passerait pas la nuit de Noël en prison. Et encore, s'il n'y avait que lui dans l'affaire, mais c'est toute une histoire...

— Prenez toujours une bonne pensée, vous la lui donnerez quand il reviendra...

— Oui, je vais toujours lui en prendre une. Mais ça n'arrange pas tout...

Il restait encore une demi-douzaine de lits à visiter et ce fut l'enfant Noël qui s'en chargea. L'adjudant Constantin n'avait plus le cœur à la joie et il était si gravement préoccupé qu'il craignait de se tromper. La besogne accomplie, ils se séparèrent sur le pas de la porte. Déjà, l'enfant Noël s'éloignait en courant sur ses pieds nus, lorsque l'adjudant le rappela :

— Noël ! Noël ! Est-ce que vous vous chargeriez d'une commission ?

— Mais oui, si ce n'est pas trop long.

— Attendez-moi, je reviens tout de suite.

L'adjudant s'engouffra dans la chambrée et en ressortit presque aussitôt. Dans les mains de l'enfant Noël, il déposa le paquet bleu enrubanné et dit en rougissant :

— C'est du linge fin, vous ferez attention...

— Quelle adresse ?

L'adjudant Constantin parut embarrassé et lui parla tout bas à l'oreille.

— Au grand huit ? dit l'enfant Noël, mais j'y vais, justement ! Tous les ans, je leur apporte un paquet de bonnes pensées. Ce sont des amies qui m'aiment bien. L'an passé, il y avait Carmen, Ginette, Christiane, Lili, la grande Marcelle, Nana, Léo, Rirette. J'ai appris que Lili était partie pour Épinal. C'est sûrement José qui l'a remplacée. Soyez tranquille, la commission sera faite.

L'adjudant Constantin joignit les mains avec adoration. L'enfant Noël mit la chemise bleu ciel dans sa hotte et ouvrit la fenêtre pour prendre sa course. Comme il s'élevait dans les airs, Constantin se pencha dans la nuit et cria encore :

— Surtout, dites-lui que c'est de la part de Morillard !

— Oui, oui, Morillard !

L'enfant Noël prit de la hauteur, mais avant de

filer sur le grand huit, il plongea la main dans sa hotte et fit neiger des fleurs du paradis sur le képi de l'adjudant Constantin qui se mit à rire dans le mois de décembre.

Un souvenir de Noël ?

GUILLAUME APOLLINAIRE

Les sapins
(extrait)

Les sapins en bonnets pointus
De longues robes revêtus
   Comme des astrologues
Saluent leurs frères abattus
Les bateaux qui sur le Rhin voguent

Dans les sept arts endoctrinés
Par les vieux sapins leurs aînés
   Qui sont de grands poètes
Ils se savent prédestinés
À briller plus que des planètes

À briller doucement changés
En étoiles et enneigés
   Aux Noëls bienheureuses
Fêtes des sapins ensongés
Aux longues branches langoureuses

Les sapins beaux musiciens
Chantent des noëls anciens
   Au vent des soirs d'automne
Ou bien graves magiciens
Incantent le ciel quand il tonne

GUY DE MAUPASSANT

Conte de Noël

Le docteur Bonenfant cherchait dans sa mémoire, répétant à mi-voix : « Un souvenir de Noël ?... Un souvenir de Noël ?...»

Et tout à coup, il s'écria :

« Mais si, j'en ai un, et un bien étrange encore ; c'est une histoire fantastique. J'ai vu un miracle ! Oui, mesdames, un miracle, la nuit de Noël. »

*

Cela vous étonne de m'entendre parler ainsi, moi qui ne crois guère à rien. Et pourtant j'ai vu un miracle ! Je l'ai vu, dis-je, vu, de mes propres yeux vu, ce qui s'appelle vu.

En ai-je été fort surpris ? non pas ; car si je ne crois point à vos croyances, je crois à la foi, et je sais qu'elle transporte les montagnes. Je pourrais citer bien des exemples ; mais je vous indignerais et je m'exposerais aussi à amoindrir l'effet de mon histoire.

Je vous avouerai d'abord que si je n'ai pas été fort convaincu et converti par ce que j'ai vu, j'ai été du moins fort ému, et je vais tâcher de vous

dire la chose naïvement, comme si j'avais une crédulité d'Auvergnat.

J'étais alors médecin de campagne, habitant le
bourg de Rolleville, en pleine Normandie.

L'hiver cette année-là, fut terrible. Dès la fin de
novembre, les neiges arrivèrent après une semaine
de gelées. On voyait de loin les gros nuages venir
du nord ; et la blanche descente des flocons com-
mença.

En une nuit, toute la plaine fut ensevelie.

Les fermes, isolées dans leurs cours carrées,
derrière leurs rideaux de grands arbres poudrés
de frimas, semblaient s'endormir sous l'accumu-
lation de cette mousse épaisse et légère.

Aucun bruit ne traversait plus la campagne
immobile. Seuls les corbeaux, par bandes, décri-
vaient de longs festons dans le ciel, cherchant leur
vie inutilement, s'abattant tous ensemble sur les
champs livides et piquant la neige de leurs grands
becs.

On n'entendait rien que le glissement vague et
continu de cette poussière tombant toujours.

Cela dura huit jours pleins, puis l'avalanche s'arrêta. La terre avait sur le dos un manteau épais
de cinq pieds.

Et, pendant trois semaines ensuite, un ciel, clair
comme un cristal bleu le jour, et, la nuit, tout
semé d'étoiles qu'on aurait crues de givre, tant le
vaste espace était rigoureux, s'étendit sur la nappe
unie, dure et luisante des neiges.

La plaine, les haies, les ormes des clôtures, tout
semblait mort, tué par le froid. Ni hommes ni
bêtes ne sortaient plus : seules les cheminées des

chaumières en chemise blanche révélaient la vie cachée, par les minces filets de fumée qui montaient droit dans l'air glacial.

De temps en temps on entendait craquer les arbres, comme si leurs membres de bois se fussent brisés sous l'écorce ; et, parfois, une grosse branche se détachait et tombait, l'invincible gelée pétrifiant la sève et cassant les fibres.

Les habitations semées çà et là par les champs semblaient éloignées de cent lieues les unes des autres. On vivait comme on pouvait. Seul, j'essayais d'aller voir mes clients les plus proches, m'exposant sans cesse à rester enseveli dans quelque creux.

Je m'aperçus bientôt qu'une terreur mystérieuse planait sur le pays. Un tel fléau, pensait-on, n'était point naturel. On prétendit qu'on entendait des voix la nuit, des sifflements aigus, des cris qui passaient.

Ces cris et ces sifflements venaient sans aucun doute des oiseaux émigrants qui voyagent au crépuscule, et qui fuyaient en masse vers le sud. Mais allez donc faire entendre raison à des gens affolés. Une épouvante envahissait les esprits et on s'attendait à un événement extraordinaire.

La forge du père Vatinel était située au bout du hameau d'Épivent, sur la grande route, maintenant invisible et déserte. Or, comme les gens manquaient de pain, le forgeron résolut d'aller jusqu'au village. Il resta quelques heures à causer dans les six maisons qui forment le centre du pays, prit son pain et des nouvelles, et un peu de cette peur épandue sur la campagne.

Et il se remit en route avant la nuit.

Tout à coup, en longeant une haie, il crut voir un œuf sur la neige ; oui, un œuf déposé là, tout blanc comme le reste du monde. Il se pencha, c'était un œuf en effet. D'où venait-il ? Quelle poule avait pu sortir du poulailler et venir pondre en cet endroit ? Le forgeron s'étonna, ne comprit pas ; mais il ramassa l'œuf et le porta à sa femme.

« Tiens, la maîtresse, v'là un œuf que j'ai trouvé sur la route ! »

La femme hocha la tête :

« Un œuf sur la route ? Par ce temps-ci, t'es soûl, bien sûr ?

— Mais non, la maîtresse, même qu'il était au pied d'une haie, et encore chaud, pas gelé. Le v'là, j'me l'ai mis sur l'estomac pour qui n'refroidisse pas. Tu le mangeras pour ton dîner. »

L'œuf fut glissé dans la marmite où mijotait la soupe, et le forgeron se mit à raconter ce qu'on disait par la contrée.

La femme écoutait, toute pâle.

« Pour sûr que j'ai entendu des sifflets l'autre nuit, même qu'ils semblaient v'nir de la cheminée. »

On se mit à table, on mangea la soupe d'abord, puis, pendant que le mari étendait du beurre sur son pain, la femme prit l'œuf et l'examina d'un œil méfiant.

« Si y avait quéque chose dans c't'œuf ?

— Qué que tu veux qu'y ait ?

— J'sais ti, mé ?

— Allons, mange-le, et fais pas la bête. »

Elle ouvrit l'œuf. Il était comme tous les œufs, et bien frais.

Elle se mit à le manger en hésitant, le goûtant, le laissant, le reprenant. Le mari disait :

« Eh bien ! qué goût qu'il a, c't'œuf ? »

Elle ne répondit pas et elle acheva de l'avaler ; puis, soudain, elle planta sur son homme des yeux fixes, hagards, affolés ; leva les bras, les tordit et, convulsée de la tête aux pieds, roula par terre en poussant des cris horribles.

Toute la nuit elle se débattit en des spasmes épouvantables, secouée de tremblements effrayants, déformée par de hideuses convulsions. Le forgeron, impuissant à la tenir, fut obligé de la lier.

Et elle hurlait sans repos, d'une voix infatigable :

« J'l'ai dans l'corps ! J'l'ai dans l'corps ! »

Je fus appelé le lendemain. J'ordonnai tous les calmants connus sans obtenir le moindre résultat. Elle était folle.

Alors, avec une incroyable rapidité, malgré l'obstacle des hautes neiges, la nouvelle, une nouvelle étrange, courut de ferme en ferme : « La femme au forgeron qu'est possédée ! » Et on venait de partout, sans oser pénétrer dans la maison ; on écoutait de loin ses cris affreux poussés d'une voix si forte qu'on ne les aurait pas crus d'une créature humaine.

Le curé du village fut prévenu. C'était un vieux prêtre naïf. Il accourut en surplis comme pour administrer un mourant et il prononça, en étendant les mains, les formules d'exorcisme, pendant que quatre hommes maintenaient sur un lit la femme écumante et tordue.

Mais l'esprit ne fut point chassé.

Et la Noël arriva sans que le temps eût changé.

La veille au matin, le prêtre vint me trouver :

« J'ai envie, dit-il, de faire assister à l'office de cette nuit cette malheureuse. Peut-être Dieu fera-t-il un miracle en sa faveur, à l'heure même où il naquit d'une femme. »

Je répondis au curé :

« Je vous approuve absolument, monsieur l'abbé. Si elle a l'esprit frappé par la cérémonie (et rien n'est plus propice à l'émouvoir), elle peut être sauvée sans autre remède. »

Le vieux prêtre murmura :

« Vous n'êtes pas croyant, docteur, mais aidez-moi, n'est-ce pas ? Vous vous chargez de l'amener ? »

Et je lui promis mon aide.

Le soir vint, puis la nuit ; et la cloche de l'église se mit à sonner, jetant sa voix plaintive à travers l'espace morne, sur l'étendue blanche et glacée des neiges.

Des êtres noirs s'en venaient lentement, par groupes, dociles au cri d'airain du clocher. La pleine lune éclairait d'une lueur vive et blafarde tout l'horizon, rendait plus visible la pâle désolation des champs.

J'avais pris quatre hommes robustes et je me rendis à la forge.

La Possédée hurlait toujours, attachée à sa couche. On la vêtit proprement malgré sa résistance éperdue, et on l'emporta.

L'église était maintenant pleine de monde, illuminée et froide ; les chantres poussaient leurs notes monotones ; le serpent ronflait ; la petite sonnette de l'enfant de chœur tintait, réglant les mouvements des fidèles.

J'enfermai la femme et ses gardiens dans la cuisine du presbytère, et j'attendis le moment que je croyais favorable.

Je choisis l'instant qui suit la communion. Tous les paysans, hommes et femmes, avaient reçu leur Dieu pour fléchir sa rigueur. Un grand silence planait pendant que le prêtre achevait le mystère divin.

Sur mon ordre, la porte fut ouverte et mes quatre aides apportèrent la folle.

Dès qu'elle aperçut les lumières, la foule à genoux, le chœur en feu et le tabernacle doré, elle se débattit d'une telle vigueur, qu'elle faillit nous échapper, et elle poussa des clameurs si aiguës qu'un frisson d'épouvante passa dans l'église ; toutes les têtes se relevèrent ; des gens s'enfuirent.

Elle n'avait plus la forme d'une femme, crispée et tordue en nos mains, le visage contourné, les yeux fous.

On la traîna jusqu'aux marches du chœur et puis on la tint fortement accroupie à terre.

Le prêtre s'était levé ; il attendait. Dès qu'il la vit arrêtée, il prit en ses mains l'ostensoir ceint de rayons d'or, avec l'hostie blanche au milieu, et, s'avançant de quelques pas, il l'éleva de ses deux bras tendus au-dessus de sa tête, le présentant aux regards effarés de la Démoniaque.

Elle hurlait toujours, l'œil fixé, tendu sur cet objet rayonnant.

Et le prêtre demeurait tellement immobile qu'on l'aurait pris pour une statue.

Et cela dura longtemps, longtemps.

La femme semblait saisie de peur, fascinée ; elle contemplait fixement l'ostensoir, secouée encore de tremblements terribles, mais passagers, et criant toujours, mais d'une voix moins déchirante.

Et cela dura encore longtemps.

On eût dit qu'elle ne pouvait plus baisser les yeux, qu'ils étaient rivés sur l'hostie ; elle ne faisait plus que gémir ; et son corps raidi s'amollissait, s'affaissait.

Toute la foule était prosternée le front par terre.

La Possédée maintenant baissait rapidement les paupières, puis les relevait aussitôt, comme impuissante à supporter la vue de son Dieu. Elle s'était tue. Et puis soudain, je m'aperçus que ses yeux demeuraient clos. Elle dormait du sommeil des somnambules, hypnotisée, pardon ! vaincue par la contemplation persistante de l'ostensoir aux rayons d'or, terrassée par le Christ victorieux.

On l'emporta, inerte, pendant que le prêtre remontait vers l'autel.

L'assistance bouleversée entonna un *Te Deum* d'actions de grâces.

Et la femme du forgeron dormit quarante heures de suite, puis se réveilla sans aucun souvenir de la possession ni de la délivrance.

Voilà, mesdames, le miracle que j'ai vu.

*

Le docteur Bonenfant se tut, puis ajouta d'une voix contrariée : « Je n'ai pu refuser de l'attester par écrit. »

TRUMAN CAPOTE

Un souvenir de Noël

Imaginez un matin de fin novembre. Un matin annonciateur d'hiver voici plus de vingt ans. Représentez-vous la cuisine d'une vaste et vieille demeure dans un bourg de campagne. La pièce maîtresse en est un grand fourneau noir, flanqué d'une vaste table ronde et d'une cheminée, avec, devant, deux fauteuils à bascule. Aujourd'hui justement, la cheminée a lancé son premier grondement hivernal.

Une femme aux cheveux blancs coupés court se tient à la fenêtre. Elle porte des chaussures de tennis et un tricot gris informe sur une robe d'été en calicot. Elle est petite et vive comme une poule naine mais, à cause d'une longue maladie de jeunesse, ses épaules sont cruellement voûtées. Son visage, remarquable, n'est pas sans rappeler celui de Lincoln, anguleux comme le sien, hâlé par le soleil et le vent, mais délicat aussi, avec une ossature fine, des yeux timides et ambrés comme du sherry. — Ah ! mais ça, s'exclame-t-elle en embuant la vitre de son souffle, c'est un temps à faire des cakes !

Celui à qui elle s'adresse, c'est moi. J'ai sept

ans, elle en a soixante et quelques. Nous sommes cousins, très éloignés, et avons toujours habité ensemble, enfin aussi loin que je me souvienne. Il y a d'autres personnes dans la maison, des gens de la famille. Mais, bien qu'ils aient autorité sur nous et nous fassent souvent pleurer, en fin de compte nous ne remarquons guère leur présence. Nous sommes les meilleurs amis du monde. Elle m'appelle Buddy en mémoire d'un garçon qui fut autrefois son meilleur ami. Ce Buddy-là est mort dans les années 1880 quand elle n'était qu'une enfant. Une enfant qu'elle est restée.

— Je l'ai senti avant de sortir du lit, m'explique-t-elle en se détournant de la fenêtre, les yeux pétillants de détermination. La cloche du tribunal avait un son si froid et si clair. Et pas un chant d'oiseau. Ils sont partis vers les pays chauds, tu parles ! Hé, Buddy, arrête de t'empiffrer de gâteaux et va chercher le landau. Aide-moi à trouver mon chapeau. On a trente cakes à préparer.

C'est toujours la même chose : un beau matin de novembre, comme pour inaugurer officiellement la période de Noël qui réveille son imagination et attise la flamme de son cœur, mon amie m'annonce : — C'est un temps à faire des cakes ! Sors le landau ! Aide-moi à trouver mon chapeau !

Le chapeau a réapparu, un chapeau de paille à large bord, orné de roses en velours fanées par le grand air : elle le tient d'une aïeule plus sensible qu'elle à la mode. Ensemble, nous poussons notre landau, une voiture d'enfant hors d'usage, jusqu'au jardin avant d'atteindre un bosquet de pacaniers. Ce landau, c'est le mien, disons qu'on

l'a acheté pour moi à ma naissance. L'osier s'effi-
loche et les roues flageolent comme des jambes
d'ivrogne. Mais c'est un allié fidèle ; au printemps,
nous l'emmenons dans les bois et le remplissons
de fleurs, d'herbes aromatiques et de fougères sau-
vages pour garnir les pots de la véranda ; l'été, on
y entasse tout l'attirail du pique-nique et les gaules
en canne à sucre, et on le descend au bord d'un
ruisseau. Il a aussi ses emplois hivernaux : comme
chariot pour transporter les bûches de la cour à la
cuisine et comme lit douillet pour Queenie, notre
increvable petit ratier orange et blanc qui a sur-
vécu à la maladie de Carré et à deux morsures de
crotale. En ce moment même, Queenie trotte à
côté du landau.

Trois heures plus tard, nous sommes de retour
dans la cuisine, à décortiquer une pleine cargai-
son de pécans tombés de l'arbre. On s'est cassé le
dos à les ramasser : pas facile de les dénicher (le
plus gros ayant été gaulé et vendu par d'autres
que nous, les propriétaires du verger), cachés
sous les feuilles, parmi l'herbe gelée et ses leurres.
Craaacalac ! Un craquement joyeux, des éclats de
tonnerre en miniature s'élèvent à mesure que les
coquilles cèdent et que l'amas doré de matière
ivoire, douce et huileuse, grossit dans la coupe
de verre opale. Queenie demande à y goûter et,
de temps à autre, mon amie lui en glisse un petit
morceau tout en insistant bien sur le fait que nous
nous en privons : — Il ne faut pas, Buddy. Si on
commence, on ne s'arrêtera pas. Et il y en a déjà
tout juste assez. On a trente gâteaux à faire. La
pénombre envahit la cuisine. Le crépuscule trans-

forme la fenêtre en miroir : nos reflets se mêlent à la lune montante tandis que nous nous activons près de l'âtre à la lueur des flammes. Et quand enfin la lune est à son zénith, nous jetons la dernière coquille dans le feu et, avec un même soupir, la regardons s'enflammer. Le landau est vide, la coupe, elle, est garnie à ras bord.

Nous dînons (biscuits froids, bacon, confiture de mûre) en discutant du lendemain. Demain commence la phase du travail que je préfère : les courses. Cerises et cédrat, gingembre, vanille et ananas d'Hawaii en conserve, écorces confites, raisins secs, noix, whisky et, j'oubliais, un monceau de farine et de beurre, et des œufs, des épices et des aromates à foison : c'est un poney qu'il nous faudrait pour ramener le landau à la maison.

Mais avant de penser aux achats se pose la question de l'argent. Nous n'en avons ni l'un ni l'autre. Si ce n'est de misérables oboles lâchées à l'occasion par des gens de la maison (une pièce de dix cents passe alors pour une forte somme). Ou ce que nous tirons nous-mêmes de nos activités diverses : brocantes de charité, vente de seaux de mûres cueillies à la main, de confitures, gelées de pomme et conserves de pêche maison, ou encore de couronnes de fleurs pour les enterrements et les mariages. Une fois, nous avons gagné le soixante-dix-neuvième prix, cinq dollars, à un concours national sur le football. On ne connaît rien au football, mais on participe à tous les concours qui se présentent. Pour le moment, tous nos espoirs reposent sur le gros lot de cinquante mille dollars offert à qui trouvera une nouvelle marque de

café (nous avons proposé « Éden » et, après bien
des hésitations car mon amie pensait que c'était
peut-être blasphématoire, le slogan « À Éden, on
dit amen »). À vrai dire, notre seule initiative vraiment rentable fut le musée des Curiosités et des
Phénomènes que nous avions monté dans une
remise de l'arrière-cour voici deux étés. La curio-
sité, c'était une lanterne magique à double lentille
projetant des vues de Washington et de New York
et qu'une cousine, qui s'était rendue là-bas, nous
avait prêtée (elle avait d'ailleurs été furieuse en
découvrant la raison de cet emprunt). Quant au
phénomène, c'était un poussin à trois pattes couvé
par une de nos poules. Tout le quartier avait voulu
voir à quoi il ressemblait. En prenant cinq cents
pour les adultes et deux pour les enfants, nous
avions pu récolter la coquette somme de vingt dollars avant que le musée ne ferme pour cause de
décès de sa principale attraction.

Bon an mal an, nous arrivons quand même à
nous constituer une cagnotte de Noël, la « caisse
des cakes ». Ce pécule, nous le conservons dans
un vieux porte-monnaie en perles caché sous
une lame disjointe du plancher, elle-même située
sous un pot de chambre, lui-même placé sous le
lit de mon amie. Le porte-monnaie quitte rare-
ment ce lieu sûr sauf pour procéder à un dépôt
ou, comme chaque samedi, à un retrait. Car le
samedi, j'ai droit à dix cents pour aller au cinéma.
Elle-même n'y est jamais allée et n'en a pas non
plus l'intention : — Je préfère t'entendre me raconter l'histoire, Buddy. Comme ça, je me l'imagine
mieux. En plus, une personne de mon âge ne

doit pas s'abîmer les yeux. Quand le Seigneur viendra, il s'agira d'y voir clair. Outre qu'elle n'a jamais vu de film, elle n'a jamais mangé au restaurant, ne s'est jamais éloignée de chez elle de plus de dix kilomètres, n'a jamais reçu ni envoyé de télégramme, jamais rien lu d'autre que des illustrés et la Bible, utilisé de cosmétiques, dit de gros mots, souhaité du mal à quelqu'un, menti sciemment, laissé un chien affamé le rester. Voici, en revanche, quelques-unes des choses qu'elle a faites, et fait encore : occire avec une binette le plus gros crotale jamais vu dans le comté (seize sonnettes), priser (en cachette), apprivoiser des colibris (essayez, pour voir !) jusqu'à ce qu'ils se posent sur son doigt, raconter des histoires de fantômes (nous croyons tous les deux aux fantômes) qui vous donnent des frissons même en plein mois de juillet, parler toute seule, partir se promener sous la pluie, cultiver les plus beaux japonicas de la commune, connaître la recette de toutes les médications indiennes d'antan, y compris un remède miracle contre les verrues.

Le dîner terminé, nous nous retirons dans la chambre située à l'autre bout de la maison, où mon amie dort dans un lit de fer peint en rose, sa couleur préférée, et recouvert d'un couvre-pied en patchwork. Sans un bruit, grisés par les délices de la conspiration, nous extirpons le porte-monnaie en perles de sa cachette et en répandons le contenu sur le dessus-de-lit : des billets de un dollar roulés serrés, verts comme des bourgeons de mai ; de sombres pièces de cinquante cents, assez lourdes pour tenir closes les paupières d'un mort ;

d'adorables pièces de dix cents, les plus vives, les seules à vraiment tinter ; des cinq et des vingt-cinq, lisses et usées comme des galets de rivière ; mais surtout un affreux tas de pennies à l'odeur âcre. L'été dernier, des pensionnaires de la maison s'étaient engagés à nous verser un penny toutes les vingt-cinq mouches tuées. Oh ! ce carnage en août : le nombre de mouches qui ont pris le chemin du paradis ! On n'était pas fiers de nous pour autant. En comptant les pennies, je nous revois en train de recenser nos mouches. On n'a ni l'un ni l'autre la tête aux chiffres : on compte lentement, on perd le fil, on recommence. D'après les calculs de mon amie, nous avons douze dollars soixante-treize. D'après les miens, treize dollars tout ronds.
— J'espère bien que tu t'es trompé, Buddy. On ne rigole pas avec le treize. Les cakes vont retomber. Ou envoyer quelqu'un au cimetière. Tiens, pour rien au monde, je ne me lèverais le treize du mois. Et c'est vrai, elle passe toujours la journée du treize au lit. Par acquit de conscience, nous retirons donc un penny et le jetons par la fenêtre.

De tous les ingrédients qui entrent dans la confection de nos cakes, le whisky est le plus cher, mais aussi le plus difficile à trouver : dans notre État, il est interdit à la vente. Mais chacun sait que l'on peut en acheter une bouteille à Mr. Haha Jones. Et le lendemain, une fois expédiées les courses plus ordinaires, nous nous mettons en route vers l'établissement de Mr. Haha : un café-dancing au bord de la rivière, un « lieu de perdition » (selon la rumeur) où l'on sert aussi des fritures. Nous y sommes déjà allés, et pour le même motif, mais, les années précédentes, nous avions eu affaire à la femme de Mr. Haha, une Indienne à la peau couleur de teinture d'iode, aux cheveux décolorés et d'un naturel perpétuellement las. En fait, son mari, on ne l'a jamais vu, on sait seulement qu'il est indien lui aussi. Un géant aux joues tailladées par le rasoir. On l'appelle Haha à cause de son air maussade, c'est un type qui ne rit jamais. Comme nous approchons de son café (une grande cabane de rondins, festonnée au-dedans comme au-dehors de guirlandes d'ampoules nues et bariolées, bâtie sur la berge boueuse de la rivière dans l'ombre des arbres, là où la mousse pend en brume grise à travers les branches), nous ralentissons le pas. Même Queenie cesse de folâtrer et reste collée à nous. Il y a déjà eu des morts chez Haha. Coupés en morceaux. La tête fracassée. Une affaire va être jugée au tribunal le mois prochain. Bien entendu, ces faits divers ont lieu la nuit, quand les lumières colorées dessinent d'étranges motifs et que le phono lance ses complaintes. Dans la journée, le café, désert, ne paie pas de mine. Je frappe à la porte, Queenie aboie, mon amie lance : — Mrs. Haha, vous êtes là ? Il y a quelqu'un ?

Des pas. La porte s'ouvre. Notre sang se fige. C'est Mr. Haha Jones en personne ! En effet, c'est un colosse ; en effet, il est plein de cicatrices ; en effet, il ne sourit pas. Pas du tout. Il nous lance un regard noir par les fentes obliques de ses yeux sataniques et s'enquiert avec force : — Qu'est-ce que vous lui voulez, à Haha ?

Sur le moment, nous sommes trop pétrifiés

pour lui répondre. Puis, retrouvant à moitié sa
voix, mon amie parvient tout juste à murmurer :
— S'il vous plaît, Mr. Haha, nous voudrions un litre
de votre meilleur whisky.

Ses yeux s'inclinent un peu plus. Qui l'eût cru,
Haha sourit ! Rigole même. — C'est lequel des deux
qui picole ?

— C'est pour faire des cakes, Mr. Haha. Des
gâteaux.

Il retrouve son sérieux. Fronce les sourcils :
— C'est pas bien de gaspiller du bon whisky
comme ça. Il se retire pourtant dans l'ombre du café
et, après quelques secondes, reparaît avec à la main
une bouteille sans étiquette d'un liquide jaune
marguerite. Il la fait miroiter dans la lumière du
soleil et annonce : — Deux dollars.

Nous le payons en toute petite monnaie. Tout à
coup, alors qu'il fait sauter les pièces dans sa main
comme une poignée de dés, son visage s'adoucit. — Je vais vous dire une chose, propose-t-il en
reversant l'argent dans notre bourse en perles,
envoyez-moi en échange un de vos cakes et on
n'en parle plus.

Sur le chemin du retour, mon amie fait remar-
quer : — Eh bien, voilà ce que j'appelle un homme
charmant. On doublera la dose de raisins dans
le sien.

Gavé de charbon et de bûches, le fourneau noir
rougeoie comme une citrouille éclairée de l'intérieur. Les fouets à œufs s'activent, les cuillères
virevoltent dans les jattes de beurre et de sucre, la
vanille adoucit l'air, le gingembre l'épice. Titillant
les narines, les parfums mêlés emplissent la cui-

sine, envahissent la maison et, poussés par les volutes de la cheminée, s'échappent au-dehors. En quatre jours, notre œuvre est accomplie. Trente et un cakes, imbibés de whisky, se prélassent sur les rebords des fenêtres et les étagères.

Pour qui sont-ils ?

Pour des amis. Pas forcément du quartier. D'ailleurs la plupart iront à des personnes que nous n'avons rencontrées peut-être qu'une fois, voire jamais. À des gens qui ont frappé notre imagination. Comme le président Roosevelt. Comme le révérend J. C. Lucey et madame, missionnaires baptistes à Bornéo venus donner des conférences l'hiver dernier. Ou le petit rémouleur qui vient en ville deux fois l'an. Ou Abner Packer, le chauffeur du car de Mobile avec qui nous échangeons des saluts tous les jours quand il passe dans une trombe de poussière sur les coups de six heures. Ou encore les Wiston, un jeune couple de Californie dont la voiture était tombée en panne un après-midi devant la maison et avec qui nous avions passé une heure agréable à bavarder sous la galerie (le jeune Mr. Wiston nous avait pris en photo, la seule qu'on ait jamais faite de nous). Est-ce parce que mon amie est timide avec tout le monde sauf les étrangers que ces mêmes étrangers, ou de très vagues connaissances, nous semblent être nos vrais amis ? Je crois que oui. De même, les albums où nous conservons les mots de remerciement à l'en-tête de la Maison Blanche, les courriers épisodiques de Californie et de Bornéo et les cartes postales à deux sous du rémouleur nous donnent-ils le sentiment d'être reliés à des mondes pleins d'animation, par-delà notre cuisine et sa vue sur un ciel barré par l'horizon.

À présent, une branche de figuier dénudée par décembre griffe la fenêtre. La cuisine est vide, les gâteaux sont partis. Nous avons porté le dernier hier au bureau de poste où le prix des timbres a eu raison de notre bourse. Nous voilà à sec. J'ai le moral en berne, mais mon amie tient à fêter ça avec les deux doigts de whisky restant dans la bouteille de Haha. Queenie a droit à une cuille-rée dans un bol de café (elle aime le café fort et parfumé à la chicorée). Nous nous partageons le reste dans des coupes à dessert. Nous sommes tous deux intimidés à l'idée de boire du whisky pur ; le goût nous tire des grimaces et des fris-sons d'aigreur. Mais bientôt nous nous mettons à chanter, ensemble mais des chansons différentes. Je ne connais pas les paroles de la mienne, sauf : « *Come on along, come on along, to the dark-town strutters'ball.* » En revanche, je suis bon danseur : c'est ce que je veux faire plus tard, danseur de claquettes au cinéma. Mon ombre de danseur qui s'agite sur les murs ; nos voix qui font trembler la porcelaine ; et nous, hilares, comme si des mains invisibles nous chatouillaient. Queenie se roule sur le dos en labourant l'air de ses pattes, ses babines noires étirées en une sorte de sourire. Au-dedans, je brûle, je flamboie comme ces bûches qui s'affaissent, insouciant comme le vent dans la cheminée. Mon amie valse autour du fourneau, l'ourlet de sa pauvre jupe de calicot pincé entre ses doigts comme si c'était une robe de soirée. « *Show me the way to go home* », chante-t-elle,

et ses chaussures de tennis crissent sur le sol.
« *Showmethewaytogohome.* »

Entrent alors deux membres de la famille. Très
remontés. Forts de leurs yeux qui tancent, de
leurs langues qui cinglent. Écoutez ce qu'ils ont
à nous dire avec leurs mots qui se bousculent en
un duo furieux : — Un enfant de sept ans ! Qui
sent le whisky ! As-tu perdu la raison ? En donner à un enfant de sept ans ! Mais tu es détra-
quée ! Tu cours à ta perte ! La cousine Kate, tu
t'en souviens ? Et l'oncle Charlie ? Et le beau-frère
de l'oncle Charlie ? Honte à toi ! Scandale ! Humi-
liation ! À genoux, prie, implore le Seigneur !

Queenie file sous le fourneau. Mon amie fixe
ses chaussures, le menton tremblant, elle soulève
sa jupe, se mouche et s'enfuit dans sa chambre.
Longtemps après que la ville s'est endormie et
que la maison est devenue silencieuse, hormis les
carillons des horloges et le crachotement des feux
qui expirent, elle pleure encore dans son oreiller,
déjà trempé comme un mouchoir de veuve.

— Ne pleure pas, lui dis-je, assis au bout de
son lit, frissonnant malgré ma chemise de nuit
en flanelle qui sent encore le sirop pour la toux
de l'hiver dernier. — Ne pleure pas, la supplié-je
en jouant avec ses orteils, en lui chatouillant les
pieds, tu es trop vieille pour ça.

— C'est justement, hoquette-t-elle, parce que je
suis trop vieille. Vieille et folle.

— Non, pas folle. Drôle. Plus drôle que n'importe qui. Écoute, si tu n'arrêtes pas de pleurer,
tu seras trop fatiguée demain pour qu'on puisse
aller couper un sapin.

Elle se redresse. Queenie saute sur le lit (ce qui lui est défendu) pour lui lécher les joues. — Je sais où on pourra en trouver de beaux, Buddy. Et du houx aussi. Avec des boules grosses comme tes yeux. C'est très loin dans les bois. Plus loin qu'on n'est jamais allés. C'est là-bas que Papa allait nous chercher les arbres de Noël, il les rapportait sur son dos. Ça fait cinquante ans. Bon, eh bien moi, j'ai hâte d'être à demain.

Le lendemain matin. La gelée blanche lustre les herbes ; suspendu sur l'horizon, le soleil, rond comme une orange et orange comme une lune de canicule, fait briller la forêt argentée par l'hiver. Un dindon sauvage lance son cri. Un cochon en goguette grogne dans les fourrés. Bientôt, au bord de l'eau vive qui nous vient aux genoux, il faut abandonner le landau. Queenie s'engage la première et traverse en aboyant contre la vigueur du courant, contre cette eau glacée à vous flanquer une pneumonie. Nous la suivons en tenant nos chaussures et notre matériel (une hachette et un sac de toile) au-dessus de nos têtes. Encore un bon kilomètre d'épines, de bogues, de ronces impitoyables qui s'accrochent à nos vêtements ; d'aiguilles de pin roussies, rehaussées de champignons éclatants et de plumes oubliées par les oiseaux. Ici et là, un froissement, un battement d'ailes, une transe de cris stridents nous rappellent que tous n'ont pas migré vers le sud. Sans cesse, le chemin serpente à travers des flaques de soleil jaune citron et des tunnels de plantes grimpantes, noirs comme des fours. Encore un ruisseau à franchir : nous dérangeons une flottille de truites tachetées qui fait mousser l'eau autour de nous ; des grenouilles larges comme des assiettes s'entraînent à plonger sur le ventre ; des ouvriers castors construisent un barrage. Sur l'autre rive, Queenie s'ébroue et tremble. Mon amie frissonne elle aussi, non de froid mais d'enthousiasme. Une des roses effrangées de son chapeau perd un pétale lorsqu'elle lève la tête pour inspirer l'air saturé de senteurs de pin. – Nous y sommes presque, tu sens cette odeur, Buddy ? me dit-elle comme si nous approchions d'un océan.

En effet, c'est une espèce d'océan. Des hectares embaumés de sapins de Noël, de houx aux feuilles piquantes. De baies rouges et brillantes comme des clochettes chinoises sur lesquelles des corbeaux noirs fondent en croassant. Ayant bourré nos sacs avec assez de verdure et de pourpre pour décorer une douzaine de fenêtres, nous nous mettons en devoir de choisir un arbre. — Il faut qu'il ait, réfléchit mon amie, deux fois la taille d'un petit garçon. Pour qu'un petit garçon ne puisse pas voler l'étoile. Celui que nous choisissons fait deux fois ma hauteur. Un brave et beau colosse qui résistera à trente coups de hachette avant de s'effondrer dans un cri éraillé et déchirant. Traînant l'arbre derrière nous comme une bête abattue, nous entamons le long trajet du retour. Tous les dix mètres, nous renonçons, assis et haletants. Mais nous avons la force des chasseurs triomphants ; une force qui, avec le parfum viril et glacé de l'arbre, nous ravive et nous stimule. Au crépuscule, une pluie de compliments accompagne notre retour au village par la route d'argile rouge ;

mais mon amie reste prudente et évasive quand les passants font l'éloge du trésor couché sur le landau : — Quel bel arbre ! d'où vient-il ? — Oh, par là…, murmure-t-elle d'un air vague. À un moment donné, une voiture s'arrête et l'indolente épouse du riche propriétaire du moulin sort sa tête et, de sa voix haut perchée, lui dit : — Je vous en donne vingt-cinq cents tout de suite. D'ordinaire, mon amie hésite à dire non, mais là elle refuse aussitôt de la tête : — Même un dollar, on n'en voudrait pas. La femme du minotier persiste : — Un dollar, et puis quoi encore ! Cinquante cents, c'est ma dernière offre. Allez, ma brave dame, vous irez en chercher un autre. Pour toute réponse, mon amie répond gentiment : — Ça m'étonnerait. Rien n'est en double, tout est unique.

À la maison. Queenie s'affale devant le feu et s'endort jusqu'au lendemain en ronflant comme un être humain.

Au grenier, il y a une malle qui contient une boîte à chaussures pleine de queues d'hermine (restes de la cape d'opéra d'une étrange dame qui jadis loua une chambre dans la maison), des rouleaux de guirlande argentée jaunie par le temps, une étoile, argentée elle aussi, un court chapelet d'ampoules électriques en forme de bonbons, en piteux état et à coup sûr dangereuses. D'excellentes décorations en soi, mais voilà : mon amie veut un sapin qui resplendisse « comme un vitrail baptiste », qui ploie sous une avalanche de décorations. Or les splendeurs japonaises du drugstore ne sont pas dans nos moyens. Nous faisons donc comme nous avons toujours fait, en nous installant des journées entières à la table de la cuisine armés de ciseaux, de crayons de couleur et de piles de papier coloré. Je trace des silhouettes que mon amie découpe : beaucoup de chats, de poissons aussi (parce que c'est facile à dessiner), des pommes, des pastèques ; quelques anges aux ailes de papier d'argent, récupéré dans le chocolat Hershey. Pour fixer ces créations sur le sapin, on utilise des épingles à nourrice ; pour la touche finale, nous parsemons les branches de brins de coton (ramassé en août à cet effet). Mains jointes, mon amie juge de l'effet produit : — Honnêtement, Buddy, on en mangerait, non ? Queenie essaie d'ailleurs de croquer un ange.

Après avoir tressé et enrubanné des couronnes de houx pour toutes les fenêtres de la façade, nous nous attaquons à la confection de cadeaux pour la famille. Des écharpes teintes pour les dames et, pour les messieurs, un sirop maison à base de citron, de réglisse et d'aspirine, à prendre « aux premiers symptômes de refroidissement et au retour de la chasse ». Mais quand vient l'heure de nos cadeaux respectifs, mon amie et moi nous séparons pour œuvrer dans le secret. J'aimerais lui acheter un couteau à manche de nacre, un poste de radio, une bonne livre de cerises enrobées de chocolat (nous en avons goûté un jour et, depuis, elle le jure : — Je pourrais ne vivre que de ça, Buddy, le Seigneur m'en est témoin – et ce n'est pas blasphémer Son saint nom). À la place, je lui fabrique un cerf-volant. Elle, elle aimerait m'offrir un vélo (elle me l'a dit des millions de fois : — Si seulement je le pouvais, Buddy. C'est déjà assez

triste de se passer de ce qu'on a soi-même envie ;
mais, bon sang de bonsoir, ce qui me fait mal au
ventre, c'est de ne pas pouvoir donner aux autres
ce que j'aimerais qu'ils aient. Mais un de ces jours,
j'y arriverai, Buddy. Je te trouverai un vélo. Ne
me demande pas comment. Peut-être que je le
volerai…). Je suis à peu près certain qu'elle est
en train de me confectionner un cerf-volant ; le
même que l'année dernière et que l'année d'avant.
L'année encore avant, nous nous étions offert des
lance-pierres. Mais ça ne me dérange pas. Car on
est des as du cerf-volant, on étudie le vent comme
des marins ; mon amie, plus douée que moi, est
capable de faire décoller un cerf-volant quand la
brise est trop faible pour soutenir les nuages.

La veille de Noël, dans l'après-midi, nous réu-
nissons cinq cents et partons pour la boucherie
acheter à Queenie son cadeau traditionnel, un bon
os de bœuf à ronger. L'os, enveloppé de papier
fantaisie, est placé tout en haut du sapin, près de
l'étoile d'argent. Queenie l'a repéré. Assise au pied
de l'arbre, elle le fixe, le museau levé, au comble
de la convoitise. Quand arrive l'heure du coucher,
elle refuse de bouger. Son excitation n'a d'égale
que la mienne. Je repousse les couvertures du pied
et retourne mon oreiller comme par une brûlante
nuit d'été. Quelque part, un coq chante. À tort,
car le soleil est encore de l'autre côté de la Terre.

— Buddy, t'es réveillé ? C'est mon amie qui
m'appelle depuis sa chambre, voisine de la
mienne. L'instant d'après, elle est assise sur mon
lit, une bougie à la main : — Impossible de fermer l'œil, m'explique-t-elle. C'est la sarabande

dans ma tête. Buddy, tu crois que Mrs. Roosevelt va servir notre cake à son dîner ? Nous nous blottissons l'un contre l'autre dans le lit et elle prend ma main dans la sienne : — Je pensais que ta main était beaucoup plus petite. C'est terrible de te voir grandir. Quand tu seras grand, on sera encore amis ? — Pour toujours, la rassuré-je. — Mais je suis bien triste, Buddy. J'aurais tant voulu t'offrir un vélo. J'ai essayé de vendre le camée que Papa m'avait donné. Buddy... – elle hésite, comme si elle était gênée – ... je t'ai encore fait un cerf-volant ! Je lui avoue alors que moi aussi ; et nous rions. La bougie est trop petite pour brûler encore. La voilà qui s'éteint en laissant place à la lumière des étoiles, ces étoiles qui défilent à la fenêtre comme une étincelante chorale de Noël que, doucement, tout doucement, le jour naissant réduit au silence. Sans doute nous assoupissons-nous ; mais les lueurs de l'aube nous saisissent comme un jet d'eau froide : nous voilà debout, les yeux grands ouverts, à faire les cent pas en attendant que les autres se réveillent. Mon amie fait tomber exprès une bouilloire sur le sol de la cuisine. Je fais des claquettes sur le seuil des portes closes. Un à un, les occupants de la maison apparaissent avec, sur le visage, une envie de nous tuer tous les deux ; mais impossible puisque c'est Noël. D'abord, un plantureux petit déjeuner, avec tout ce qu'on peut imaginer : depuis les biscuits d'avoine jusqu'aux rayons de miel en passant par l'écureuil frit et la bouillie de maïs. Ce qui a le don de mettre tout le monde de bonne humeur, sauf mon amie et moi. Car, tout à notre

impatience d'ouvrir les cadeaux, nous sommes
incapables d'en avaler une bouchée.

Pour tout dire, je suis déçu... Comment ne
pas l'être par des chaussettes, une chemise pour
l'école du dimanche, des mouchoirs, un tricot déjà
porté et un abonnement d'un an à un magazine
religieux pour enfants, *Le Petit Berger*. J'enrage. Il
n'y a pas d'autre mot.

Mon amie a eu plus de chance. Un sac de mandarines ! C'est son plus beau cadeau. Elle n'est
pas peu fière, pourtant, du châle de laine blanche
tricoté par sa sœur mariée. Mais le cadeau qui la
touche le plus, dit-elle, c'est le cerf-volant que je
lui ai fabriqué. Et, de fait, il est magnifique : pas
autant quand même que celui qu'elle a fait pour
moi, bleu et constellé d'étoiles de Bonne Conduite,
or et vertes. Et puis, mon nom est peint dessus :
« Buddy ».

— Buddy, il y a du vent !

Le vent souffle et nous n'avons qu'une hâte, galo-
per jusqu'à une prairie en contrebas de la maison
où Queenie s'est déjà précipitée pour enterrer son
os (et où, l'hiver suivant, elle sera enterrée à son
tour). Là, plongés à mi-corps dans l'herbe grasse,
nous libérons nos cerfs-volants, nous sentons
leurs saccades sur la corde tandis qu'ils nagent
dans le vent comme des poissons célestes. Com-
blés, baignés de soleil, nous nous étendons dans
l'herbe et épluchons des mandarines en suivant
les gambades de nos engins. J'en oublie bientôt les
chaussettes et le tricot de deuxième main. Je suis
aussi heureux que si on avait gagné les cinquante
mille dollars au concours du café.

— Mais quelle idiote ! s'exclame mon amie soudain en éveil, comme une femme qui se souvient
avoir laissé des biscuits au four. — Tu sais ce que
j'ai toujours cru ? me demande-t-elle sur le ton
de la révélation, en souriant non vers moi, mais
vers un point situé sur l'horizon : J'ai toujours cru
que pour voir le Seigneur il fallait être malade et
mourant. Et j'imaginais que Sa venue ressemble-
rait à un vitrail baptiste : belle comme du verre
de couleur quand le soleil coule au travers, d'un
éclat tel qu'il fait oublier l'arrivée de la nuit. Et
c'était un réconfort de penser que cette lumière
chasserait tout sentiment de peur. Mais je parie
que ça n'arrivera jamais. Je parie qu'à la fin des
fins on comprend que le Seigneur était déjà parmi
nous. Que voir les choses telles qu'elles sont – sa
main dessine un cercle qui englobe les nuages,
les cerfs-volants, l'herbe et Queenie en train de
ramener de la terre sur son os –, telles qu'elles
ont toujours été, c'est voir Dieu. Moi, je pourrais
quitter ce monde avec cette journée dans les yeux.

Ce sera notre dernier Noël ensemble. La vie va
nous séparer. Ceux-qui-décident-pour-nous ont
jugé que ma place était à l'école militaire. S'égrène
alors un sombre chapelet de prisons où résonne
le clairon, de tristes camps d'été rythmés par les
sonneries de réveil. J'ai aussi une nouvelle maison.
Mais elle m'indiffère. Ma maison, c'est là où est
mon amie, mais plus jamais je n'y vais.

Et c'est là qu'elle habite, là qu'elle trotte autour
de la cuisine. Seule avec Queenie. Puis toute seule
(« Mon cher Buddy », m'écrit-elle de ses indé-
chiffrables pattes de mouche, « hier le cheval de

Jim Macy a donné un mauvais coup de sabot à Queenie. Heureusement, elle n'a pas beaucoup souffert. Je l'ai enveloppée dans un drap de toile fine et je l'ai descendue dans le landau jusqu'au pré de Simpson où elle retrouvera tous ses os... »). Pendant quelques années, elle continue chaque mois de novembre à cuire ses cakes sans l'aide de personne. Pas autant qu'avant, mais quelques-uns tout de même. Et, bien entendu, elle m'envoie toujours « le fleuron de la fournée ». De même que dans chacune de ses lettres elle glisse une pièce de dix cents enveloppée de papier-toilette : « Va au cinéma et raconte-moi l'histoire. » Mais peu à peu, dans ses courriers, elle a tendance à me confondre avec son autre ami, le Buddy mort dans les années 1880 ; de plus en plus souvent, elle passe au lit d'autres journées que le treize. Puis vient un matin de novembre, un matin annonciateur d'hiver sans feuilles et sans oiseaux, où elle n'a plus la force de se soulever pour s'exclamer : — Ah ! mais ça, c'est un temps à faire des cakes !

Et quand c'est arrivé, je l'ai su. Un message m'annonçant la nouvelle n'a fait que confirmer ce qu'en moi quelque fibre secrète m'avait déjà appris. Il m'arrachait une irremplaçable partie de moi-même, désormais libre comme un cerf-volant sur son fil rompu. Voilà pourquoi, traversant à pied le périmètre de l'école ce matin-là de décembre, je suis resté à scruter le ciel. Comme si je m'attendais à y voir, un peu comme deux cœurs, un couple de cerfs-volants égarés filant vers le paradis.

BLAISE CENDRARS

Noël à Rio

À Mme Simone

Tant crie-t-on Noël qu'il vient !

Il faut réviser jusqu'à ses images poétiques les plus familières.

Ici, à Rio, la Noël tombe en plein été austral et le simple fait d'exister est un véritable bonheur.

C'est à Rio que j'ai appris à me méfier de la logique.

Vivre est un acte magique.

L'œil est-il à gauche ou à droite de la main ? demande un proverbe nègre.

Ce n'est pas une énigme. C'est une recette de sorcellerie sous forme de devinette, et il faut répondre : c'est le papillon !

C'est un jeu.

Cela vous apprend à mieux regarder et à pénétrer l'essence mystérieuse des choses.

Un papillon !

C'est une idée, une idée qui vous est soudainement venue à l'esprit et que vous avez laissée s'envoler en secouant la tête comme on fait quand un de ces merveilleux papillons des tropiques qui sortent des forêts vierges circonvoisines s'égare et vient voltiger autour de votre crâne d'étranger comme autour de la fleur la plus rare de ce jardin exotique qu'est le *roof-garden* ou jardin suspendu au sommet de l'hôtel *Gloria*.

L'admirable lépidoptère géant, qui est large comme la main et a des ailes bleues bordées de noir, cherche à se poser, mais son insistance inquiète à la longue et l'on finit par le chasser à grands coups de serviette, et la bête xénophile, et peut-être vorace, chavire par-dessus bord et tombe dans un gouffre de chaleur, éperdue, ivre de soleil et de lumière, vole d'un vol lourd et irrégulier et mou pour aller se perdre dans l'azur, est comme entraînée au large, je ne dirai pas...

> *De-ci, de-là,*
> *Pareille à la*
> *Feuille morte...*

car au Brésil les feuilles des arbres ne sont pas caduques, mais comme une âme en peine et lasse d'errer.

Déjà, chez les peuples de la plus haute antiquité, le papillon était l'emblème de la métempsycose et considéré comme le messager, l'annonciateur d'une mort prochaine, c'est-à-dire du RENOUVEAU.

De toute façon, ici c'est l'été.

Noël.

I

Une qui croyait à la métempsycose, mais qui ne pouvait admettre le dogme de la mort nécessaire comme passage obligatoire et obscur de la transmigration des âmes parce qu'elle y avait échappé une première fois, était une paralytique, une Russe, la comtesse Starosta, une folle, une illuminée, miraculeusement rescapée du naufrage de la *Principessa Mafalda* et qui habitait depuis vingt-cinq ans au dernier étage, immédiatement sous le jardin suspendu de l'hôtel *Gloria*, un appartement dont toutes les fenêtres donnaient sur Rio, sa baie incomparable, les montagnes d'en face, la joue frottée de la lumière du premier matin du monde comme les montagnes qui servent de fond géologique aux toiles de Léonard ou de Mantegna, l'océan écumant, les îles, les pics, les rocs, la pyramide du pain de Sucre, les mornes voisins, les agaves, les palmiers, la forêt inquiétante d'où viennent les papillons.

— Je ne veux pas mourir, disait-elle. Toutes les âmes sont en nous. Il suffit de choisir celle que l'on veut être. C'est un acte de volonté. On ne meurt pas. On ne se réincarne pas. C'est tout juste si l'on change de peau ! Mais c'est tout de même un miracle. Je l'ai voulu au nom du Saint-Esprit. Regardez-moi, j'ai déjà subi une première métamorphose et n'en suis pas morte. Mais j'exige un deuxième miracle car je veux guérir. Je prie. Je me concentre. Je m'absorbe en moi-même. J'appelle le Saint-Esprit. À bord de la *Principessa*

Mafalda, ça s'est fait tout seul, instantanément.
Aujourd'hui, c'est plus difficile. Je suis trop souvent distraite de mes pratiques et tirée du yoga par
les avions qui évoluent sous mes fenêtres. Il y en
a trop. C'est l'œuvre du démon. Ils viennent d'où ?
Ils se rendent où ? Cela ne mène nulle part. Je
veux vivre. La pauvre chenille devient un brillant
papillon. Regardez-moi, regardez ma collection.

Et elle vous désignait du doigt sa collection des
plus beaux papillons du Brésil épinglés aux murs
dans des lourds cadres d'acajou.

Elle-même était assurément la pièce la plus stu-
péfiante de sa collection, une espèce de papillon-
chimère pris dans un filet, allongée qu'elle était
dans son hamac tendu devant la fenêtre ouverte
du grand salon, sa silhouette noire, mi-rigide, mi-
vivante, les jambes atrophiées, le buste ballant, se
détachant au bord du gouffre lumineux au fond
duquel gît Rio dans la journée, ses gratte-ciel abs-
traits émergeant d'une buée de chaleur et d'où
monte la nuit, avec les lampadaires électriques qui
s'allument tous d'un seul coup et les constellations
qui s'élèvent les unes après les autres de la mer, la
Croix du Sud, la pleine lune, le tam-tam assourdi
mais grondeur des *macoumbas* que célèbrent les
sorciers nègres partout dans les collines environ-
nantes.

Alors, elle faisait apporter des cierges de cire
noire qui dégageaient une odeur d'encens en se
consumant, et elle absorbait une drogue qui avait
la consistance du miel et avalait un grand verre
d'une infusion brûlante.

— C'est pour lutter contre le gel, j'ai froid !

disait-elle avec son accent slave qui lui mettait des roucoulements passionnés dans la gorge. Je crois au miracle ! Regardez, je suis comme une larve à mi-chemin de la résurrection, une chrysalide. Déjà, je ne puis plus mourir. Je vois le Saint-Esprit...

C'était peut-être une aventurière et elle devait faire des adeptes car toutes les nuits il montait des centaines de personnes chez elle et l'on menait gros jeu dans ses salons. Il fallait bien que quelqu'un payât la note d'hôtel de la comtesse miraculée, que diable ! La vie est chère à Rio.

II

Et voici ce qui lui était arrivé lors du naufrage de la *Principessa Mafalda*, en 1927 :

Le transatlantique du Nord venait de doubler le cap Frie et déjà le branle-bas battait son plein sur le pont en vue du débarquement. Les panneaux étaient ouverts. On hissait des cales les automobiles de luxe toutes neuves, que l'on débarrassait de leur housse et dont on faisait le plein pour qu'elles soient prêtes à rouler. On groupait les bagages des passagers de premières sur le deck, leur attribuant un numéro d'ordre pour la visite de la douane.

Les familles étaient assemblées dans les salons, les enfants habillés, les mamans tirées à quatre épingles, les femmes de chambre surveillant les bagages à main, les nounous bichonnant le petit trésor qui leur était confié, les papas compulsant une dernière fois leur portefeuille pour voir s'ils avaient bien tous leurs papiers en ordre : passeport, feuilles de débarquement, déclarations. D'autres payaient leur note, distribuaient les pourboires au personnel hôtelier, garçons de cabines, maîtres d'hôtel empressés, serveurs. Des couples dansaient au bar. On buvait du champagne. On prenait congé.

L'orchestre du bord jouait un dernier tango quand on vint signaler à la passerelle une avarie dans les turbines. Il faisait un calme plat. Le temps était radieux. Il était entre dix et onze heures du matin. On n'était plus qu'à une douzaine, une quinzaine de milles de Rio de Janeiro. La côte était en vue. On était entouré d'une dizaine, d'une douzaine de navires qui tous pointaient vers le port, venant de tous les angles du cadran. Le commandant ne pouvait pas croire à l'imminence du danger. Une turbine tournait encore. On prendrait du retard, certes, et c'était ennuyeux, mais il était convaincu de pouvoir conduire son beau navire à bon port et de ne pas rater son entrée, à toute petite allure mais sans avoir eu besoin d'avoir recours à l'aide de personne, ce qui est un point d'honneur pour un marin. Et ce fut la catastrophe. Soudain, des torrents d'eau envahirent les fonds, noyèrent les chaudières, et le transatlantique prit immédiatement une gîte dangereuse.

Et ce fut la panique, une panique qui dura jusqu'à cinq heures du soir, allant *crescendo*, dépassant toutes les bornes du crime et de l'horreur tant que le navire flottait et jusqu'à ce qu'il sombrât en se retournant sur lui-même et glissât par la poupe dans l'abîme. Par un entêtement imbécile qui lui obnubilait l'esprit, le comman-dant n'avait pas envoyé un S.O.S. aux autorités du port si proche ni même un sans-fil à l'agent géné-ral de la compagnie pour lui demander l'aide d'un remorqueur, de même qu'il avait refusé jusqu'à la dernière minute toutes les offres de secours qui lui avaient été adressées par les navires qui l'entou-raient et qui s'étaient insensiblement rapprochés du sien, se tenant toute la journée à sa hauteur, prêts à intervenir.

À la fin de la tragédie, quand ils purent enfin mettre leurs canots à la mer, il était trop tard. Ceux des passagers qui n'avaient pas été assas-sinés ou mutilés par la ruée des soutiers fous de terreur, une équipe de sidis et des lascars embau-chés au petit bonheur à la suite d'une grève, qui s'étaient mis à piller les bagages, à couper des doigts et des oreilles, à égorger ou à éventrer pour s'emparer des bijoux que les femmes portaient au cou ou de l'argent qu'elles pouvaient dissimu-ler dans leur ceinture. Ceux qui sautaient à l'eau étaient dévorés par les requins. La surface de la mer était rouge de sang.

Il y eut des centaines de morts et quelques rares rescapés, un canot ou deux, parmi lesquels la comtesse Starosta. Dès le début de la panique, elle s'était adossée au grand mât, les deux bras noués en arrière, faisant face au danger, le buste offert, les yeux fixés sur un point du ciel, ne voyant rien des horreurs qui se perpétraient autour d'elle, clamant son acte de foi comme un défi : *Au nom du Saint-Esprit, que le Père et le Fils fassent un miracle de Vie !*

Et elle s'était sentie frappée au ventre et quand on l'avait tirée de l'eau, elle était paralysée des deux jambes, des hanches à la cheville, au talon et jusqu'au fin bout des orteils. Les psychiatres attribuaient la paralysie à une commotion du cerveau, mais la comtesse n'y croyait pas : « C'est le froid qui m'a saisie, disait-elle. Je suis russe. Je connais les méfaits du froid. Je ne veux pas retourner dans mon pays d'origine. Laissez-moi vivre ici. Je veux guérir. Et un jour je retournerai au Ciel qui est ma véritable patrie. Ça sera un deuxième prodige. Je fais tout pour le provoquer. Je le veux... »

III

Je reçois à l'instant une lettre par avion m'annonçant la mort de la comtesse Starosta, à Rio ; selon ce que l'on me laisse entendre, elle ne serait pas morte en odeur de sainteté, malgré ses efforts, sa foi et ce qu'elle avait cru être ou devenir.

... C'était le jour de la Noël. Elle était étendue dans son hamac accroché devant cette fenêtre d'angle que vous connaissez bien et par laquelle on serait tenté de se jeter, sinon de sortir du Gloria *pour entrer tout droit en paradis. Rassurez-vous, notre chère comtesse ne s'est pas suicidée. Mais cela n'allait pas du tout et elle se sentait faiblir. À un moment donné, elle se découvrit le ventre, l'exposa en pleine lumière et murmura imperceptiblement : « Au nom du Saint-Esprit, que le Soleil me fasse fondre ! Je*

*me sens glacée... Regardez... je m'envole !... » Tout
le monde avait les yeux fixés sur la fenêtre ouverte ;
si la pauvre avait eu une âme, même aussi fragile
et translucide qu'un flocon de neige de son pays,
tout le monde l'aurait vue passer, ou tomber dans le
vide, ou monter au ciel, car chacun de nous s'attendait à un miracle, depuis le temps qu'elle nous avait
ensorcelés. Mais le ciel resta désespérément vide. Il
ne bougea même pas une ombre, pas un semblant.
Pas un duvet d'oiseau ne voltigeait dans le gouffre,
ni aucune plume de colibri ou de vautour. Il ne
manquait pas un papillon dans les cadres. Tout le
monde a pu le constater. Nous étions plus de trente
témoins, dont mon frère Oswaldo et moi – Yan.*

IV

Une autre année, une autre femme vint mettre
en péril les habitudes des sybarites qui demeurent
en permanence à l'hôtel *Gloria*.

C'était une certaine baronne de La Verrière, qui
passait pour être l'épouse du plus riche banquier
de Vienne (Autriche).

C'était une grande bringue blonde, très maigre
et très frileuse qui, sur ordre de son médecin, était
venue passer la Noël à Rio de Janeiro pour avoir
chaud.

Dès le soir de son arrivée, la dame avait révo-
lutionné l'hôtel, faisant arrêter les ventilateurs,
fermer les fenêtres de la mezzanine, installer des
radiateurs électriques dans tous les coins du bar,
dresser des paravents autour de la table où elle se

tenait, en cache-nez, une fourrure sur le dos, les pieds sur une chaufferette, piaillant comme une perruche hystérique quand quelqu'un laissait une porte ouverte, réclamant chandails et couvertures chaque fois qu'elle changeait de table, de cosy-corner, de salon, portant sur les nerfs des joueurs de bridge ou de canasta et qui ne pipaient mot, trop galants pour protester, mais qui vouaient cette femme à tous les diables, suant, fondant, trempant leurs grands smokings blancs amidonnés, s'épongeant, s'éventant avec leurs cartes à jouer, les jetons collant aux doigts.

On avait surnommé la créature la Vénus aux fourrures, et heureusement que la névropathe déguerpit avant que la semaine fût écoulée, juste à la veille de la Noël, sur un câble de son médecin qui lui enjoignait de se rendre à Djibouti, après enquête, la place la plus chaude du globe... Et c'est alors qu'on apprit avec stupeur que l'homme effacé qui l'accompagnait, qui ne disait jamais rien, qui attendait patiemment sur une chaise, les bras embarrassés de fichus, de lainages, de plaids, de couvertures et de manteaux, et qui sur un caprice de sa compagne se précipitait à genoux pour lui passer des snow-boots fourrés, n'était personne d'autre que le fameux A.-J. Mayer, le roi du marché parallèle en Bourse, un des plus dangereux requins des finances internationales. Tout le monde l'avait pris pour le chauffeur de la dame excentrique.

1952

V

L'œil est-il à droite ou à gauche de la main ?
À la mémoire de Sam Putnam

L'œil est-il à droite ou à gauche de la main ?
demande un proverbe nègre.

C'est la lunette que j'emploie pour juger des
choses du Brésil, car il y faut un peu de magie.

Par exemple :

Ici, à Rio, les feuilles ne sont pas caduques et la
Noël tombe en plein été austral.

— Avez-vous remarqué, Cendrars, que les gratte-
ciel d'ici n'ont pas de cheminées ? me demandait
Samuel Putnam, un universitaire de Chicago,
venu prendre une vue d'ensemble de la littérature
brésilienne pour mieux la situer dans le panorama
de l'histoire littéraire des trois Amériques, et que
cette absence de cheminées turlupinait et déso-
rientait...

La remarque était pertinente. Nous buvions un
whisky sur le *roof-garden* de l'hôtel *Gloria* (« *Gloria in excelsis !* » disais-je en trinquant, tellement
j'étais heureux d'être une fois de plus à Rio pour la
Noël) ; et de là-haut nous dominions tous les toits
de la cité moderne. En effet, aucune cheminée
ne salissait le paysage de la baie de Guanabarà,
qui réfléchissait les immensités bleues de son ciel
et de ses montagnes de lumière, et, au contraire
de ceux de New York ou de Chicago, aucun des
gratte-ciel de Rio de Janeiro n'était empanaché
d'un nuage de suie ou d'un jet continu de vapeur.

La ville était plantée là, une capitale orgueilleuse, un décor abstrait.

— Alors, qu'est-ce que vous en concluez ? demandai-je à Sam.

— Je ne sais pas, me répondit-il. Dois-je conclure que la théorie de Taine de l'influence du décor, de l'habitat, de la nature, de l'ambiance géographique sur la littérature nationale d'un peuple est fausse ou périmée, ou dois-je considérer le manque d'une philosophie spécifiquement brésilienne dans le phénomène de la production littéraire de cette nation comme un effet du climat ? Le Brésilien n'a pas besoin de chaleur artificielle. Il ne médite pas au coin du feu. Il fait la sieste. Ce qui explique sa crédulité, son manque de ressort, ses visions, son infantilisme, etc.

Tout cela n'expliquait rien du tout, et je ne suivais pas le raisonnement de mon ami, un *scholar* typique des U.S.A., féru de logique. Comme nous étions aux approches de Noël, son observation originale me faisait penser aux gosses de Rio, aux gosses des riches qui ne peuvent mettre leurs chaussures dans la cheminée, faute de cheminées dans les gratte-ciel résidentiels du bord de l'eau ; aux gosses des pauvres, ceux des proches et des lointaines banlieues maritimes, ainsi que ceux des *favelas*, cette sauvagerie en pleine ville, qui ont du feu, certes, un feu primitif qui couve sous la cendre dans les cahutes les plus misérables, au sommet des mornes de la capitale comme dans la brousse perdue de l'hinterland, je pensais aux pauvres qui ont du feu à la maison, mais ne peuvent exposer leurs chaussures, car ils n'ont pas de chaussures…

Le problème du chauffage ne se pose donc pas.
Tout le monde va pieds nus. Tout le monde est
à la joie.

Tant crie-t-on Noël qu'il vient !

Et, à Rio, il vient au cœur de l'été.

*

Sam est mort l'autre année sans conclure, mais
il y avait quelque chose dans sa thèse restée iné-
dite. Quoi ? Je ne sais pas au juste. Une idée...

Mais on n'a pas idée de venir à Rio pour y exposer des idées. Il y fait si bon vivre. Le simple fait
d'exister est un véritable bonheur... Depuis, je me
méfie de la logique.

Noël, 1953

SOURCES

C'est le soir de Noël...

Clément MAROT, « Du jour de Noël » (chanson XXV), Collectif, *Poètes du XVIe siècle*, édition d'Albert-Marie Schmidt, Bibliothèque de la Pléiade, © Éditions Gallimard, 1953.

Charles DICKENS, « Un arbre de Noël », traduction de l'anglais et notes par Sylvère Monod, *La maison d'Âpre-Vent. Récits pour Noël et autres*, Bibliothèque de la Pléiade, © Éditions Gallimard, 1979.

Sylvain TESSON, « Les fées », *S'abandonner à vivre*, Folio n° 5948, © Éditions Gallimard, 2014.

C'est Noël, tout de même !

Jules LAFORGUE, « Noël sceptique », *Le sanglot de la terre*, © Éditions Mercure de France, 1902.

F. S. FITZGERALD, « Pat Hobby croit au Père Noël », traduit de l'anglais par Agnès Derail-Imbert et Cécile Roudeau, *Romans, nouvelles et récits, II*, édition publiée sous la direction de Philippe Jaworski, Bibliothèque de la Pléiade, © Éditions Gallimard, 2012.

Anton TCHEKHOV, « À Noël », traduction du russe par Édouard Parayre révisée par Lily Denis, *Œuvres, III, Récits 1892-1903*, Bibliothèque de la Pléiade, © Éditions Gallimard, 1971.

Marcel AYMÉ, « Conte de Noël », *Derrière chez Martin*, Folio n° 432, © Éditions Gallimard, 1973.

Un souvenir de Noël ?

Guillaume APOLLINAIRE, « Les sapins » (extrait), *Alcools. Poèmes 1898-1913*, Folio n° 5546, © Éditions Gallimard, 2013.

Guy de MAUPASSANT, « Conte de Noël », *Clair de lune et autres nouvelles*, édition de Marie-Claire Bancquart, Folio Classique n° 3102, © Éditions Gallimard, 1998.

Truman CAPOTE, « Un souvenir de Noël » (*A Christmas Memory*), traduit de l'américain par Philippe Mothe, *Œuvres*, Quarto, © 1956 by Truman Capote. Copyright renewed 1984 by Truman Capote. © Éditions Gallimard 2014 pour la traduction française.

Blaise CENDRARS, « Noël à Rio », *Trop, c'est trop*, dans le vol. 11 de « Tout autour d'aujourd'hui », nouvelle édition des œuvres complètes de Blaise Cendrars dirigée par Claude Leroy, © Éditions Denoël, 1957, 2005.

C'est le soir de Noël...

Clément MAROT, *Du jour de Noël*   9

Charles DICKENS, *Un arbre de Noël*   10

Sylvain TESSON, *Les fées*   28

C'est Noël, tout de même !

Jules LAFORGUE, *Noël sceptique*   37

F. S. FITZGERALD, *Pat Hobby croit au Père Noël*   38

Anton TCHEKHOV, *À Noël*   54

Marcel AYMÉ, *Conte de Noël*   62

Un souvenir de Noël ?

Guillaume APOLLINAIRE, *Les sapins*   79

Guy de MAUPASSANT, *Conte de Noël*   80

Truman CAPOTE, *Un souvenir de Noël*   88

Blaise CENDRARS, *Noël à Rio*   109

Sources   123

Composition Nord Compo
Impression Novoprint
à Barcelone, le 9 octobre 2017
Dépôt légal : octobre 2017
1ᵉʳ dépôt légal : octobre 2015

ISBN 978-2-07-046638-2./Imprimé en Espagne.

327779